A ARTE DE LER MENTES

HENRIK FEXEUS

A ARTE DE LER MENTES

Tradução
Daniela Barbosa Henriques

19ª edição

Rio de Janeiro | 2025

CIP-BRASIL. CATALOGAÇÃO NA PUBLICAÇÃO
SINDICATO NACIONAL DOS EDITORES DE LIVROS, RJ

F463a
19ª ed.

Fexeus, Henrik, 1971-
A arte de ler mentes: como interpretar gestos e influenciar pessoas sem que elas percebam / Henrik Fexeus; tradução: Daniela Barbosa Henriques. – 19ª ed. – Rio de Janeiro: Best*Seller*, 2025.
il.

Tradução de: The Art Of Reading Minds
ISBN 978-85-465-0130-4

1. Linguagem corporal. 2. Gestos. 3. Influência (Psicologia). I. Henriques, Daniela Barbosa. II. Título.

18-51156

CDD: 153.69
CDU: 159.9:316.772.2

Meri Gleice Rodrigues de Souza – Bibliotecária – CRB-7/6439

Título original em sueco:
Konsten att läsa tankar — Hur du förstår och påverkar andra utan att de märker något
Traduzido a partir do original em inglês:
The Art of Reading Minds: How to Understand and Influence Others without Them Noticing

Direitos exclusivos de publicação em língua portuguesa para o Brasil
adquiridos pela
EDITORA BEST SELLER LTDA.
Rua Argentina, 171, parte, São Cristóvão
Rio de Janeiro, RJ – 20921-380
que se reserva a propriedade literária desta tradução.

Impresso no Brasil

ISBN 978-85-465-0130-4

Seja um leitor preferencial Record.
Cadastre-se no site www.record.com.br e receba informações
sobre nossos lançamentos e nossas promoções.

Atendimento e venda direta ao leitor
sac@record.com.br

Aos meus filhos, Elliot e Nemo,
que me ajudam a perceber, todos
os dias, o quanto eu ainda preciso
aprender sobre comunicação.

Era uma vez...

Sumário

Um aviso

Um lembrete para não levar as coisas tão a sério

Eu gostaria de esclarecer uma coisa. Não afirmo exatamente que o conteúdo deste livro é "verdadeiro", pelo menos não mais verdadeiro do que quaisquer outras visões subjetivas do mundo, como o cristianismo, o budismo ou a ciência. É melhor pensar no conteúdo deste livro como ferramenta útil. De fato, tudo o que digo aqui sobre estímulo sensorial favorito, linguagem corporal e coisas afins não passa de alucinação, metáfora ou modelo explicativo, se você preferir, que descreve a realidade de acordo com certa visão. Pessoas diferentes preferem modelos explicativos diferentes, alucinações diferentes para entender a própria realidade. Alguns os chamam de religiosos, outros de filosóficos, e outros ainda os chamam de científicos. A categoria na qual as metáforas deste livro devem ser incluídas varia muito de acordo com quem está sendo questionado. Alguns as considerariam científicas, outros argumentariam que psicologia e psicofisiologia não são ciências. Outros criticariam os exemplos deste livro, julgando-os generalizações simples demais de fenômenos complexos, não sendo merecedores de atenção. Nada disso realmente importa. O fato é que essas metáforas específicas, esses modelos, provaram ser ferramentas excepcionalmente úteis para entender e influenciar as pessoas. O que não quer dizer, porém, que sejam "verdadeiros" ou descrevam as coisas como "realmente são". Quero que você se lembre disso. Apenas afirmo que, se você aplicar o que está prestes a aprender, os resultados serão bastante significativos. E espero que seja esse o seu interesse.

Capítulo 1

Aqui explicarei o que quero dizer com a expressão peculiar como "leitura da mente", qual foi o erro de Descartes e iniciaremos a nossa jornada juntos.

LEITURA DA MENTE?!

Uma definição do conceito

De coração, acredito plenamente no fenômeno da leitura da mente. Para mim não é mais misterioso do que ser capaz de compreender o que alguém está dizendo ao falar conosco. O fato é que pode ser até um pouco menos misterioso do que isso. Pelo que sei, não há nada particularmente controverso sobre a leitura da mente. Na verdade, é completamente natural. Algo que todos nós fazemos, o tempo todo, sem perceber. Mas é claro que realizamos isso com diferentes níveis de sucesso e com mais ou menos consciência. Acredito que, se soubermos *o que* e *como* estamos fazendo, seremos capazes de nos treinar a fazer ainda *melhor*. E esse é o ponto deste livro. Então o que de fato realizamos? O que quero dizer quando digo que lemos a mente do outro? O que "leitura da mente" significa na prática?

Para começar, quero explicar o que eu *não* quero dizer. Existe algo em psicologia denominado *leitura da mente*, uma das razões que justificam por que tantos casais acabam fazendo terapia. Isso ocorre quando uma pessoa presume que a outra consegue ler a sua mente: "Se ele realmente me amasse deveria saber que eu não queria ir àquela festa, embora eu tivesse concordado em ir!" Ou: "Ele não se preocupa comigo, senão teria notado como eu estava me sentindo."

Essas exigências de leitura da mente estão mais para explosões de egocentrismo. Outra ideia errada é supor que você é capaz de ler os pensamentos de alguém, quando, na verdade, você está apenas projetando atitudes e valores da sua própria mente para a de outra pessoa. "Ah, não...

Ela agora vai me odiar." Ou: "Se ela está sorrindo assim, deve ter feito alguma besteira. Eu já suspeitava!"

Isso se chama *erro de Otelo*. Nada disso é leitura da mente no sentido que eu abordo aqui. Não passam de comportamentos tolos.

O grande erro de Descartes

Para entender a leitura da mente do modo como descreverei é importante que antes você entenda um conceito diferente. O filósofo, matemático e cientista René Descartes (também conhecido como Cartesius) foi um dos gigantes intelectuais do século XVII. Os efeitos da revolução que ele instigou na matemática e na filosofia ocidental são sentidos até hoje. Descartes morreu em 1650, de pneumonia, no palácio real de Estocolmo, onde dava aulas à rainha Cristina. Ele estava acostumado a trabalhar na cama quente e aconchegante, como convém a um filósofo francês, então é compreensível que o piso frio de pedra do castelo tenha acabado com sua saúde tão logo o inverno chegou. Descartes fez coisas muito boas, mas também cometeu erros graves. Antes de morrer, ele apresentou a noção de que corpo e mente eram separados. Essa foi a ideia mais estúpida que ele poderia imaginar, mas Descartes havia conquistado respeito graças a frases curtas e impactantes como *Cogito ergo sum* (Penso, logo existo). Assim, a noção peculiar (e basicamente religiosa) de que os seres humanos são compostos por duas substâncias diferentes — corpo e alma — prosperou.

Naturalmente, alguns discordaram, mas essas vozes foram abafadas pelos aplausos à ideia de Descartes. Apenas há pouco tempo os biólogos e psicólogos conseguiram provar cientificamente o exato oposto da afirmação do filósofo, então agora sabemos que corpo e mente de fato estão emaranhadamente unidos, tanto em sentido biológico quanto no nível do pensamento. Mas a visão de Descartes foi dominante por tanto tempo que ainda é tida como uma verdade pela maioria das pessoas. Muitos de nós ainda diferenciam, embora inconscientemente, o nosso corpo e os nossos processos de pensamento. Para que o resto deste livro faça algum sentido é importante entender que isso não é verdade, ainda que pareça, em princípio, um pouco estranho negar essa ideia.

É assim que funciona: Não é possível ter um único pensamento sem que algo físico também aconteça com você. Ao pensar, um processo eletroquímico ocorre no seu cérebro. Para criar um pensamento, algumas células cerebrais precisam enviar mensagens entre si, de acordo com certos padrões. Se você já teve determinado pensamento antes, o padrão dele já foi estabelecido. Tudo o que você está fazendo é repeti-lo. Se for um pensamento inteiramente novo, você cria um inédito padrão ou estabelece novas conexões entre as células no cérebro. Esse modelo também influencia o corpo e pode mudar a disseminação de hormônios (como as endorfinas) em todo o organismo, assim como no sistema nervoso autônomo. O sistema nervoso autônomo controla funções como a respiração, tamanho das pupilas, fluxo sanguíneo, suor, rubor etc.

Todos os pensamentos afetam o seu corpo de um modo ou de outro, às vezes de uma forma muito óbvia. Se você estiver assustado, a sua boca ficará seca e o fluxo sanguíneo em direção às coxas aumentará, preparando-o para uma possível fuga. Se você começar a ter pensamentos sexuais sobre o cara que está no caixa do supermercado, perceberá reações muito óbvias no seu corpo — ainda que não tenha passado de um pensamento. Às vezes, as reações são muito pequenas, invisíveis a olho nu. Mas elas estão sempre lá. Isso significa que, simplesmente observando as mudanças físicas que ocorrem em uma pessoa, podemos perceber como ela se sente, quais são as suas emoções e no que está pensando. Treinando a observação, você também aprenderá a ver coisas que antes eram sutis demais para notar.

Corpo e alma

Mas não para por aqui. Além de todos os nossos pensamentos se refletirem no corpo, o oposto também ocorre. Qualquer coisa que aconteça com o nosso corpo afeta os nossos processos mentais. É fácil testar isso. Tente o seguinte:

- trinque o maxilar;
- abaixe as sobrancelhas;
- olhe para um ponto fixo à sua frente;
- fique assim por dez segundos.

Se tiver feito tudo certo, você logo começará a se sentir irritado. Por quê? Porque você fez os mesmos movimentos musculares que o seu rosto executa quando você se sente *irritado*. As emoções não acontecem apenas na sua mente. Assim como todos os nossos pensamentos, elas acontecem em todo o corpo. Se ativar os músculos associados a uma emoção, você ativará e experimentará essa mesma emoção, mais exatamente o processo mental — que, por sua vez, afetará o seu corpo. Nessa instância, foi o seu sistema nervoso autônomo. Você pode não ter percebido, mas, ao fazer o teste anterior, o seu pulso aumentou em 10-15 batidas por minuto e o fluxo sanguíneo aumentou em direção às suas mãos, que agora estão mais quentes ou formigando. Como isso aconteceu? Usando os seus músculos, da maneira que acabei de sugerir, você disse ao seu sistema nervoso que estava irritado. Reação imediata!

Observa-se que isso, funciona nas duas direções. Faz todo o sentido, se você parar para refletir — qualquer outra coisa seria muito estranha, na verdade. Quando pensamos, o nosso corpo é afetado. Quando algo acontece com o nosso corpo, os nossos pensamentos são afetados. Se ainda parecer sem sentido, pode ser porque geralmente nos referimos a algum tipo de processo ou sequência, usando a palavra "pensamento", enquanto a palavra "corpo" é usada para se referir a uma entidade física. Outro jeito de descrever em termos mais objetivos: você não pode pensar nada sem que isso surta algum efeito nos seus processos biológicos. Esses processos não ocorrem apenas no cérebro, mas em todo o organismo. Em você como um todo. Em outras palavras, esqueça Descartes.

Silenciosa e inconsciente

A parte mental e a parte biológica são dois lados da mesma moeda. Se você entender isso, estará no caminho certo para se tornar um leitor de mentes fantástico. A ideia básica da leitura de mentes, como eu uso o termo, é compreender os processos mentais dos outros através da observação das suas características e reações físicas. É claro que não podemos "ler" os seus pensamentos em sentido literal (para começar, isso pressupõe que todos pensam em palavras, e veremos que nem sempre é assim), mas na verdade não precisamos disso. Como você já sabe, ver o que está acontecendo por fora pode ser suficiente para entender o que está acontecendo por dentro. Algumas das coisas que observamos são mais ou menos permanentes: estatura, postura, tom de voz etc. Mas muitos sinais mudam constantemente quando estamos conversando: linguagem corporal, movimentos dos olhos, ritmo da fala etc. Tudo isso pode ser considerado comunicação "não verbal" ou silenciosa[1].

O fato é que a maior parte da comunicação entre duas pessoas ocorre em silêncio. O que comunicamos com palavras, às vezes, representa menos de 10% de toda a mensagem. O resto é comunicado com o nosso corpo e a qualidade da nossa voz. A ironia é que ainda insistimos em dar mais atenção ao *que* o outro está nos contando — ou seja, que palavras ele escolhe usar — e apenas ocasionalmente consideramos a forma *como* ele conta. Vendo de outro ângulo: a comunicação silenciosa, que pode constituir mais de 90% de toda a nossa comunicação, não acontece apenas em silêncio. A maioria dela também acontece inconscientemente.

Como assim? Com certeza, não conseguimos nos comunicar sem estarmos conscientes, certo? Na verdade, conseguimos. Ainda que estejamos observando a pessoa com quem estamos conversando na sua totalidade, quase sempre prestamos mais atenção ao que ela está dizendo. A forma que ela mexe os olhos, os músculos faciais ou o resto do corpo são coisas que não costumamos notar, a não ser em casos muito óbvios. (Por exemplo, quando alguém faz o que a expressão que você experimentou há pouco tempo: franze a testa, trinca o maxilar e nos encara com os punhos cerrados.) Infelizmente, também somos muito inaptos para assimilar o que as pessoas nos dizem com palavras; somos constantemente expostos a um monte de sugestões ocultas e insinuações ambíguas que escapam da nossa mente consciente. Mas elas dançam um pouco com a nossa mente inconsciente, a parte de nós que está muito longe de ser insignificante e que guarda muitas das nossas opiniões, preconceitos e prejulgamentos do mundo.

A verdade é que sempre usamos o corpo inteiro quando nos comunicamos, desde gestos animados com as mãos até mudanças no tamanho das nossas pupilas. O mesmo acontece com a maneira como usamos a voz.

1. Para ser preciso, a voz é descrita como comunicação *intraverbal*, contrastando com a linguagem corporal, que é não verbal. Para facilitar e tornar o livro acessível, decidi unir ambos os conceitos sob o título *comunicação silenciosa*.

Embora, em geral, sejamos ruins em captar os sinais conscientemente, a nossa mente inconsciente cumpre essa tarefa para nós. Toda comunicação, independentemente de acontecer por meio de linguagem corporal, cheiro, tom de voz, estados emocionais ou palavras, é absorvida, analisada e interpretada pela nossa mente inconsciente, que depois envia uma resposta adequada através dos mesmos canais silenciosos e inconscientes. Então, a nossa mente consciente não apenas perde a maior parte do que as pessoas estão nos dizendo — nós também temos pouca noção das respostas que estamos dando. E as nossas respostas inconscientes e silenciosas podem contradizer facilmente as opiniões que acreditamos ter, ou o que quer que estejamos expressando em palavras. É óbvio que essa comunicação inconsciente exerce grande impacto sobre nós. É por isso que você tem a incômoda sensação de que alguém que parecia muito simpático em uma conversa de fato não gostava de você. Simplesmente você captou sinais hostis em âmbito inconsciente, e então eles formaram a base de uma percepção cuja origem você não consegue compreender.

Mas a nossa mente inconsciente não é perfeita. Ela tem muito a absorver, entender e interpretar, tudo ao mesmo tempo, e ninguém a ensinou como desempenhar essa função. Por isso, ela costuma errar. Não vemos tudo, deixamos escapar nuances e interpretamos os sinais de maneira equivocada. Acabamos nos envolvendo em mal-entendidos desnecessários.

É por isso que este livro existe.

Você já faz, mas pode fazer melhor

Juntos, veremos o que realmente estamos fazendo, de modo silencioso e inconsciente, quando nos comunicamos com os outros. E o que isso significa. Para ser o melhor possível na comunicação — e ler mentes! —, é importante aprender a captar e interpretar corretamente os sinais silenciosos que as pessoas ao redor revelam inconscientemente quando se comunicam. Prestando atenção e direcionando a sua própria comunicação silenciosa, é possível decidir qual mensagem transmitir e garantir que não será mal interpretado por ter emitido sinais ambíguos. Você também pode facilitar as coisas para a pessoa com quem estiver se comunicando usando os tipos de sinais que sabe que ela assimilará mais facilmente. Se usar a sua comunicação silenciosa corretamente, você também será capaz de influenciar aqueles que o cercam para que eles queiram seguir a mesma direção que você e conquistar os mesmos objetivos. Não há nada de maldoso ou imoral nisso. Você já age assim, inconscientemente. A diferença é que você não tem ideia de quais mensagens está emitindo ou qual efeito está surtindo nas pessoas ao redor.

Chegou a hora de mudar. E estou falando sério. A minha meta é compartilhar esse conhecimento do modo mais fácil, objetivo e prático possível. Acabei de comprar um beliche novo, da marca Ikea, para os meus filhos. Se ele tivesse vindo com um manual de instruções de 11 páginas, com as dez primeiras páginas explicando por que é bom ter camas, e concluísse: "Você já tem todas as ferramentas necessárias para montar a sua cama! Mãos à obra! Não se esqueça de montar uma estrutura sólida! E de um colchão confortável!", eu teria ficado muito irritado e atirado uma chave de fenda no olho do primeiro funcionário da Ikea que encontrasse, mas percebi que há muitos livros que fazem isso. Passam o livro inteiro prometendo explicar como conseguir uma coisa ou outra, mas você continua o mesmo após terminar a leitura. Você continua sem a mínima ideia do que fazer em termos puramente práticos para se tornar uma pessoa melhor (geralmente esse é o ponto). Ou como encaixar a cabeceira do beliche na estrutura central, não fugindo do assunto. Espero que este livro não seja como esses outros livros. Quero que ele seja tão claro e objetivo quanto um manual de instruções da Ikea. Depois de ler, você entenderá o que estou falando em termos concretos e práticos. Você começará a praticar métodos diferentes de leitura da mente e formas de influenciar os pensamentos das pessoas enquanto lê. Você saberá onde encaixar a cabeceira. E nem precisará de uma chave de fenda.

Uma última observação: nada neste livro foi descoberto por mim. Tudo o que você lerá reúne e baseia-se em trabalhos dos verdadeiros mestres das diversas áreas discutidas. O trabalho pesado foi executado por gente como Milton H. Erickson, Richard Bandler e John Grinder, Desmond Morris, Paul Ekman, Ernest Dichter, Vance Packard, William Sargant, Philip Zimbardo, William James... para citar alguns. Sem eles este livro seria uma leitura bem superficial.

É isso! Vamos lá!

Capítulo 2

Aqui você aprenderá a falar português, como estabelecer um bom relacionamento com qualquer pessoa sem emitir nenhuma palavra e discutiremos ciclismo.

EMPATIA

O que é e por que você a deseja

Há uma razão muito boa que explica por que desejamos saber o que alguém está pensando: isso nos ajuda a criar *empatia*. É um termo internacionalmente reconhecido, usado na área da comunicação silenciosa, então é por isso que eu o usarei aqui. A empatia é algo que sempre tentamos criar com as pessoas que conhecemos, seja em ambiente profissional, onde queremos que as pessoas entendam a nossa apresentação de uma ideia, ou simplesmente querendo chamar atenção daquela pessoa atraente no caixa do supermercado sobre quem fantasiávamos algumas páginas antes. Em ambos os casos, só obtemos sucesso criando empatia.

A palavra "empatia" significa, mais ou menos, "criar harmonia e relações amistosas". Ou seja, ao estabelecer empatia, estamos gerando um relacionamento de confiança mútua, consentimento, cooperação e abertura às ideias do outro. Parece útil, não é?

A *empatia* é a base para toda a comunicação significativa, pelo menos quando você deseja que a pessoa em questão ouça e se importe com as coisas que você tem a dizer. Ao tentar transmitir uma mensagem, ainda que seja simplesmente uma tentativa de convencer os seus filhos a esvaziar o lava-louças, se não tiver conquistado a empatia da pessoa com quem conversa, você poderá ser ignorado. Ela não ouvirá você. A empatia também é um pré-requisito para as pessoas se gostarem em um grau mais pessoal. O nível de intimidade vai depende de você, mas, sem empatia, não faz sentido tentar.

Estamos sempre estabelecendo ou não empatia com as pessoas que nos cercam. Ao aprender como isso de fato acontece, você pode aprender como conquistar sempre a empatia, até mesmo daquelas pessoas com quem você não se daria bem normalmente. O mais engraçado é que, em geral, conhecemos essas pessoas ocupando cargos em que as próprias decisões ou atitudes referentes às nossas opiniões e ideias podem influenciar muito o nosso futuro. Não seria bom se elas entendessem o que você quer dizer de uma vez e até começassem a gostar de você e das suas sugestões?

Eu entendo se você não conseguir perceber como a empatia tem a ver com leitura da mente, mas insisto que sim. O que você aprenderá a observar nos outros a fim de estabelecer empatia também indicará o posicionamento mental deles, como entendem o mundo, o que estão pensando e como se sentem. A leitura da mente começa no estágio inicial, como condição para criar bons relacionamentos.

A regra básica da empatia

A regra básica para estabelecer a empatia é realmente muito simples, mas pauta-se em uma percepção profunda de como as pessoas funcionam. A regra básica da empatia é *adaptar-se a como os outros preferem se comunicar* (se você tiver estudado marketing, aprendeu a sempre se comunicar no nível do grupo demográfico alvo, e aqui é a mesma coisa). Isso se faz de várias maneiras, que analisaremos em breve. Eles são, quase sem exceção, métodos silenciosos que a pessoa com quem você está se comunicando somente captará de forma inconsciente.

Ao adaptar-se ao outro, você conquista duas coisas diferentes. Fica mais fácil para a outra pessoa entender o que você está dizendo, já que você está se expressando (silenciosamente) exatamente como ela teria feito. O destinatário não precisa mais "traduzir" a sua comunicação silenciosa para algo que entenda melhor, já que agora você está se comunicando do modo que ele prefere (e entende melhor). Quando as barreiras comunicativas são removidas, quando a pessoa com quem você está conversando não precisa mais "filtrar" as suas informações para entendê-las, isso significa que o perigo do mal-entendido foi minimizado. Para ser capaz de se adaptar a outro indivíduo, você precisa estar certo, em primeiro lugar, de que entende *como* ele prefere se comunicar. Em outras palavras, aprendendo a observar como os outros se comunicam, também está aprendendo a entender o que eles de fato estão tentando dizer.

Outra conquista é a pessoa passar a gostar mais de você. O motivo é simples: adaptando-se ao modo de comunicação do outro e seguindo o, você demonstra que *é como ele*, já que as suas expressões são semelhantes. E as pessoas gostam daqueles que as lembrem de si mesmas. De quem gostamos mais? De nós mesmos. De quem gostamos em segundo lugar? Daqueles que parecem conosco. Gostamos de conviver com pessoas que sejam como nós, que vejam o mundo como nós vemos e gostem ou desgostem das mesmas coisas que nós. As pesquisas demonstram que também preferimos contratar quem seja semelhante a nós. Escolhemos os nossos amigos mais próximos com base em quem nos deixa confortáveis sendo quem somos. E quem melhor do que aqueles que já sejam como nós?

Neste ponto acho importante tecer um breve comentário. A ideia de se adaptar ao próximo não significa, naturalmente, apagar completamente a própria personalidade. Estabelecer empatia dessa forma é algo que se faz *inicialmente*, ao acabar de conhecer alguém. Em qualquer relacionamento ou encontro, nos adaptamos um ao outro continuamente depois que a empatia se estabelece. Você pode auxiliar o processo estabelecendo a empatia conscientemente, oferecendo-se de modo desinteressado a ser aquele que vai se adaptar, pois é provável que você esteja mais ciente do processo do que a pessoa que está conhecendo. É como oferecer-se para falar um idioma estrangeiro com alguém que não entenda muito bem português. Você se adapta ao modo pelo qual a outra pessoa prefere se comunicar. Ao acompanhar as preferências da pessoa, você se mantém no habitat dela e reflete as experiências dela de modo a confirmá-las e corresponder a elas. Ao se adaptar a alguém, ao começar a falar o idioma estrangeiro com ele, você está dizendo à mente inconsciente: "Sou como você. Comigo você está seguro. Pode confiar em mim".

Depois de estabelecer a empatia, você pode começar a mudar o seu próprio comportamento para conquistar as mesmas mudanças no outro. Depois da empatia, não é preciso continuar seguindo a orientação da pessoa, nem se adaptar, ela ficará satisfeita em seguir você. É assim que a empatia normalmente funciona: nós nos revezamos ao seguir a orientação mútua, o tempo todo.

Eu asseguro que alguém que fale língua nativa melhor do que português terá mais facilidade para entender a conversa e gostará mais de você se você falar o idioma dele. Mas, tão logo essa pessoa decida que gosta de você, ela não se importará de tentar falar um "português macarrônico".

Se houver empatia, a pessoa também aceitará as suas ideias e sugestões mais facilmente. Quando alguém gosta de você, ele tende a desejar que vocês concordem. Isso significa que, se você se adaptar a alguém e mostrar que gosta dele, ele sentirá vontade de concordar com você. As coisas que você fala são os tipos de coisas que ele mesmo poderia ter pensado (já que vocês são tão parecidos). Discordar de você seria um pouco como discordar de si mesmo.

Após a empatia, você pode assumir o comando e levar a pessoa a um estado mental positivo mais ajustado para entender claramente a sua mensagem ou as suas ideias, e o valor delas. É um caso de influência sem controle. Não estamos tentando manipular ninguém em nenhum sentido sinistro da palavra. Se a sua ideia de fato não for boa, não convencerá ninguém, não importa o grau da empatia. O que estamos tentando fazer é criar um relacionamento mutuamente benéfico, em que seja possível discutir a questão com criatividade e construtivamente, com respeito e compreensão. Não "controlamos" nem enganamos as pessoas para que elas deem opiniões que de fato não tenham. Apenas garantimos que estejam em um estado excelente para entender as vantagens reais do que estejamos apresentando, usando apenas meios simples, como mover o corpo ou ajustar a nossa voz de acordo com certos princípios.

> Por que a empatia funciona:
> Se eu for igual a você, você me entenderá e apreciará.
> Se você me apreciar, desejará concordar comigo.

Situações em que você precisa da empatia

Nunca é tarde demais para começar a estabelecer empatia com alguém. Talvez você tenha um relacionamento muito ruim com uma pessoa e deseje mudar isso. Comece a estabelecer empatia na próxima vez que se encontrarem. Provavelmente você não conseguirá reverter o quadro logo na primeira vez, mas, se continuar tentando nas próximas ocasiões em que se encontrarem, você rapidamente perceberá uma grande diferença na forma pela qual a outra pessoa age em relação a você. É claro que sempre existem algumas pessoas com quem simplesmente parece impossível criar empatia. Em geral, no fundo você não deseja a empatia, de qualquer modo, então não há problema. Não estou afirmando que *deve* gerar empatia em todos. Apenas estou dizendo que isso *pode* ser feito.

Quando a empatia é útil? Quase sempre. Mencionei algumas situações antes. Veja outros exemplos cotidianos:

- Quando você deseja se comunicar claramente com a pessoa com quem convive (e talvez entender o que ela vem tentando dizer por todos estes anos).
- Quando você está tentando reconquistar o respeito dos seus filhos.
- Ao lidar com autoridades.
- Ao lidar com pessoas que ocupem cargos de autoridade dúbia e que possam lhe causar problemas, como funcionários de banco mal-humorados ou outros prestadores de serviços.
- Ao receber um telefonema oferecendo algum serviço (nesse caso, talvez você prefira não estabelecer empatia)[1].
- Em uma entrevista de emprego.

---

1. Todas essas técnicas podem ser usadas ao contrário para destruir a empatia (você perceberá o quanto algumas pessoas de difícil convívio são verdadeiras mestres dessa arte). Tudo o que você precisa para destruir a empatia é usar métodos comunicativos que sejam os mais distantes possíveis daqueles usados pela outra pessoa. A falta de empatia é um jeito eficiente de destruir um encontro rapidamente ou livrar-se de pessoas indesejadas. Simplesmente comporte-se de modo incômodo e desagradável para que elas não desejem continuar conversando com você.

Em situações de trabalho, a capacidade de estabelecer empatia é uma habilidade importante. Elaina Zuker, especialista americana em comunicações, destaca o seguinte:

- É comum sentir a necessidade de conquistar cada vez mais, embora os seus recursos continuem diminuindo. Você com frequência cairá em situações de competição com os colegas, disputando recursos limitados. O seu trabalho pode depender da sua habilidade de gerar empatia em pessoas importantes, o funcionário responsável por distribuir os recursos.
- Para ser um executivo bem-sucedido é preciso estar aberto e encorajar a comunicação bilateral. Se você se fechar em si mesmo, poderá correr o risco de alienar tanto os seus superiores quanto aqueles de hierarquia mais baixa do que a sua. Atualmente espera-se que executivos e chefes de equipe tenham conhecimentos pessoais de alto nível. E tudo isso começa com a capacidade de gerar empatia.
- Convencer as pessoas a embarcar em uma ideia inovadora e criativa exige uma série bem desenvolvida de habilidades comunicativas. Não importa o quanto a sua ideia seja boa, ela não chegará a lugar nenhum se você não puder convencer as pessoas certas de que ela de fato é boa.
- Quando se está no meio de uma organização, existem pessoas acima de você, a quem você deve obedecer, e outras que você deve chefiar. Em ambos os casos, é necessário ser capaz de gerar empatia e influenciar para obter os resultados desejados.
- Em organizações horizontais, é frequente acabar tendo mais responsabilidade do que poder. É necessário trabalhar por intermédio de outras pessoas. Nesse tipo de organização, as atividades são realizadas por meio da empatia e trabalho conjunto.
- A sua competência, habilidades profissionais, conhecimentos, tudo aquilo que você aprendeu em anos de experiência, nada disso é tão importante quanto a sua habilidade de estabelecer empatia. O mercado de trabalho é muito mutável atualmente. Você pode cair em uma situação que o force inevitavelmente a mudar de emprego, sem opção. Independentemente do seu alto grau de competência, ninguém quer um *expert* intratável.

Aperfeiçoando o que você já sabe

Lembre-se de que você já usa a maioria das técnicas de leitura da mente que eu abordarei aqui. Você só não sabe disso. De todo jeito, é provável que você não as use ao máximo. O que faremos é observar essas técnicas, aperfeiçoá-las para que sejam eficazes e depois devolvê-las ao seu inconsciente. E, como você já conhece tudo isso de algum modo, não há motivo para se intimidar pela quantidade de informação e de técnicas das páginas seguintes. O fato é que será mais fácil aprender isso do que muitas outras coisas. Veja um modelo de como o processo de aprendizagem funciona:

> **1° passo: Ignorância inconsciente.** O exemplo clássico é andar de bicicleta. No 1° passo, isso significa que eu não sei andar de bicicleta, mas também não sei que existe algo chamado ciclismo.
> **2° passo: Ignorância consciente.** Eu não sei andar de bicicleta, mas estou ciente de que existe o ciclismo e de que é algo que eu não domino.
> **3° passo: Conhecimento consciente.** Sei andar de bicicleta, mas somente quando me concentro e mantenho o foco no que estou fazendo.
> **4° passo: Conhecimento inconsciente.** Sei andar de bicicleta e nem preciso pensar a respeito para fazê-lo.

A real aprendizagem acontece apenas no 4° passo, e você já está nele. Porém, retornaremos ao 3° passo para lapidar os seus conhecimentos e talvez ampliá-los. Voltar ao 4° passo será tarefa sua, e você tem todo o tempo do mundo para realizá-la. Depois de fazer os exercícios do livro, comece a usar os métodos, um de cada vez, até perceber que está agindo automaticamente (ou seja, você chegou ao 4° passo). Somente nesse estágio comece a usar outro método. Não tente fazer tudo ao mesmo tempo, só causaria confusão. Vá com calma e lembre-se de se divertir! É uma atividade muito divertida, especialmente quando você começar a notar como é fácil e como funciona bem.

Capítulo 3

Aqui você aprenderá a usar a linguagem corporal e outros métodos silenciosos para conseguir o que quer, de um jeito completamente diferente do que espera.

EMPATIA NA PRÁTICA

Usando a comunicação inconsciente com consciência

Agora, respire fundo. Nas próximas páginas você será bombardeado com fatos, métodos e técnicas que podem ser usados para estabelecer a empatia. Você aprenderá tudo, desde linguagem corporal e tom de voz até níveis de energia e opiniões pessoais. É claro que a ideia é que você use tais ideias na vida real e, quanto mais cedo começar a praticar, melhor. Contudo, lembre-se de não se apressar. Vá com calma ao aprender a dominar os diferentes métodos.

Não precisa ficar preocupado em "ser flagrado" enquanto pratica a geração de empatia nas pessoas. Prometo que ninguém reclamará de como é mais fácil entender você agora, como é mais prazeroso conversar com você ou até mesmo como, de repente, você parece conseguir ler a mente deles. Embora durante um tempo você fique muito ciente de tudo o que fizer, o mesmo não se aplica às pessoas ao seu redor.

Mexa esse traseiro!

Como usar a linguagem corporal

Como já falei, estabelecemos a empatia pela adaptação ao nosso interlocutor em diversas áreas. A primeira é a linguagem corporal. Na verdade eu não gosto muito desse termo. "Linguagem" me parece uma lista de vocabulário para você aprender. É claro que existem livros assim. Eles ensinam que, quando o dedinho de alguém se mexe de um jeito, significa uma coisa, e, quando o pé esquerdo faz algo, significa outra. Mas não é tão simples assim. Os nossos gestos nem sempre significam a mesma coisa em todas as situações ou para todas as pessoas. Escrever um verbete em um dicionário de linguagem corporal que defina os braços cruzados como "manter distância / dissociação / dúvida" (e eu sei que muita gente escreveria isso com toda a satisfação) é errado, primeiro porque estaria ignorando consideravelmente expressões mais multifacetadas e dinâmicas que o nosso corpo é capaz de produzir, e, segundo, porque parece exigir de você a crença de que a linguagem corporal existe isoladamente, independentemente de todos os outros fatores. Em algum momento você deve ter cruzado os braços e ter sido assaltado por este pensamento: "Tudo bem! É isso que as pessoas fazem quando estão irritadas ou se distanciando. Mas eu não estou irritado!" Exatamente. Deve ter havido outro motivo: talvez estivesse frio e você cruzou os braços para se aquecer. Ou, de repente, não passou de um jeito conveniente de descansar os braços por um minuto. Para ter certeza de que alguém de fato está se distanciando ou em dúvida, precisamos procurar outros sinais físicos visíveis e considerar o contexto em que tais gestos estão sendo executados. Como se comporta o resto do corpo? Os braços estão tensos ou relaxados? E o rosto? A nossa discussão foi acalorada? O clima está frio? E por aí vai.

Prefiro substituir o termo "linguagem corporal" por outro, como "comunicação corporal". Mas também parece árido demais. E, como eu não quero causar confusão com o acréscimo de um termo novo a uma área que já está saturada de termos e definições, permanecerei com "linguagem corporal" — o qual, você entende, é um termo para algo consideravelmente mais variado e dinâmico do que muita gente pensa.

Alinhamento e espelhamento

Então, como usar a sua linguagem corporal para criar empatia? Em termos simples: copie a outra pessoa. Ou, usando o termo adequado, reflita um eco postural. Em outras palavras: observe a postura da pessoa, o ângulo da cabeça, como ela mantém os braços etc. e depois faça o mesmo. Se ela mover alguma parte do corpo, mova a mesma parte do seu corpo. Há dois modos diferentes para isso, chamados *alinhamento* e *espelhamento*, e ambos baseiam-se na mesma ideia. A opção pelo método de fato só depende de como você estiver posicionado em relação à pessoa. No alinhamento, você move a parte correspondente do seu corpo quando a pessoa com quem você deseja se alinhar se mover (ou seja, se ela mover o braço direito, mova o braço direito). O alinhamento é adequado se você estiver sentado ou de pé próximo à pessoa cuja linguagem corporal você seguirá. No espelhamento, você move a parte oposta do seu corpo (ou seja, ela move o braço direito, você move o seu braço esquerdo) como se você fosse a imagem dela em um espelho. Esse método é usado quando se está sentado ou de pé, de frente para a pessoa.

É óbvio que, se você começar a copiar alguém à risca, parecerá muito estranho. Em primeiro lugar, será uma mudança explícita no seu próprio comportamento se você deixar de se mover normalmente e começar a imitar os gestos do seu interlocutor. E, se você começar a seguir os movimentos dele com exatidão, a sua intenção ficará extremamente óbvia. Em vez de criar empatia, você passará a impressão de ser um lunático esquizofrênico. Assista ao filme *Mulher solteira procura* se quiser saber o que *não* fazer.

Ao criar empatia, adaptando-se à comunicação de outra pessoa, é importante ser discreto e gradual. Para começar, faça mudanças muito pequenas e aumente-as gradualmente, em ritmo bem cauteloso. A rapidez com que se faz isso é determinada pela indicação de que você está conseguindo a reação desejada. Quanto mais você conseguir provocar interesse e envolvimento na outra pessoa, mais abertamente poderá imitar a linguagem corporal dela. Isso também se aplica depois que a empatia já tiver sido estabelecida.

> Ao adaptar o seu comportamento ao comportamento de outra pessoa é necessário ser sutil e agir gradualmente.

Para começar, você deve usar gestos representativos (mais um termo elegante). Em outras palavras, você imita a pessoa, mas só um pouco.

Contanto que seja coerente ao seguir a linguagem corporal do seu interlocutor, você pode abrandar os movimentos. Se ele cruzar os braços, você pode colocar a mão direita sobre o pulso esquerdo. Você faz a mesma coisa, mas em escala menor. Assim, evita que a pessoa comece conscientemente a desconfiar da sua intenção.

Outro jeito de mascarar o fato de estar imitando alguém é atrasar os seus movimentos. Em vez de fazer algo logo depois da ação da outra pessoa, você pode esperar vinte ou trinta segundos. Ainda que você repita os padrões de movimento constantemente, isso será registrado pela mente inconsciente da pessoa, que captará o fato de que vocês dois têm os mesmos padrões de movimento e são "parecidos".

Uma terceira forma de ocultar o que você está fazendo é imitar as expressões faciais de um indivíduo, já que ele não pode ver o próprio rosto, então não poderá comparar a aparência de vocês dois. As expressões faciais de um indivíduo são um reflexo de como ele se sente (pois os nossos processos mentais e físicos são conectados). Se ele notar uma expressão correspondente no seu rosto, perceberá que você se sente do mesmo modo, porque você se parece com ele. E isso tende a resultar em um vínculo extremamente próximo. Como não podemos ver o nosso próprio rosto, é praticamente impossível descobrir que alguém está imitando as nossas expressões faciais; apenas temos uma sensação de afinidade. Tenha o cuidado de assegurar de que aquilo que estiver imitando seja uma expressão específica e não apenas a aparência natural da pessoa. Algumas pessoas parecem tristes, carrancudas ou irritadas quando, de fato, estão relaxadas, dependendo do formato do rosto. Tenha certeza da aparência da pessoa com quem você estiver se alinhando para poder diferenciar a sua fisionomia comum e as suas expressões emotivas genuínas.

E não deixe de se movimentar na mesma velocidade, no mesmo *ritmo* da pessoa. Isso é especialmente importante para quaisquer gestos interativos, como apertar a mão. Se estiver lidando com uma pessoa lenta, aperte a mão lentamente, e vice-versa. Se notar que a pessoa fala rapidamente e parece nervosa, você precisará aumentar a velocidade do aperto de mão. Outros gestos rítmicos, como balançar a cabeça ao concordar, também devem ser adaptados ao ritmo certo. Mais adiante você aprenderá como ter uma ideia, até mesmo no primeiro encontro, do tipo de ritmo em que alguém fala ou pensa.

Não invente interpretações

Como escrevi antes, a maioria dos nossos gestos não tem significados universais. Entretanto, existe uma espécie de dicionário para a maioria da linguagem corporal de cada pessoa. Em geral, usaremos os mesmos gestos todas as vezes em que tivermos determinado humor, ainda que ninguém mais use esse gesto particular. Então, não dê muito crédito às suas interpretações da linguagem corporal de alguém em um primeiro encontro. Você pode observar, por exemplo, que a perna esquerda dele está se mexendo, mas evite interpretar isso imediatamente como um sinal de que ele está nervoso, a menos que haja outras indicações para tanto. Algum tempo depois você aprenderá a associar os movimentos e poses de algumas pessoas a emoções e pensamentos específicos. Talvez a perna esquerda realmente tenha sido um sinal de nervosismo, mas, ainda assim, esse princípio seria aplicado apenas a esse indivíduo, não necessariamente revelando algo sobre outra pessoa. Todos nós nos expressamos de forma especial. Depois que tiver algum conhecimento da leitura da linguagem corporal dos outros, você perceberá que está ficando muito melhor ao prever o que alguém está prestes a dizer. Você estará lendo mentes!

Ao começar a observar os outros de um jeito novo, você também logo passará a perceber mudanças neles, mudanças que, embora você não consiga imitar, podem oferecer muitas informações sobre como eles se sentem e no que estão pensando. Você perceberá prontamente coisas como mudanças no tom da pele. Quando sentimos medo o nosso rosto costuma ficar mais pálido. Quando enrubescemos, não precisa ser nas bochechas. O enrubescimento também pode ser observado no alto da orelha, testa ou maxilar. Você notará quando as pupilas de alguém dilatarem, um sinal de interesse e envolvimento, e haverá mais sobre isso adiante. Apenas quero avisar que você logo começará a perceber coisas que, antes, não acreditaria serem possíveis de se ver.

O que fazer quando alguém está obviamente usando linguagem corporal que indica bloqueio ou distanciamento? Você o espelha também? Não há consenso sobre essa questão. Alguns acham uma ideia péssima, outros a recomendam. Aqueles que a recomendam alegam que, já que um dos motivos pelo qual estabelecemos empatia, em primeiro lugar, é eventualmente guiar a outra pessoa, você deve conquistar a empatia através da imitação da sua linguagem corporal e depois, gradualmente, mudar a sua própria linguagem corporal de modo a abri-la e torná-la mais positiva. Assim, é possível causar uma mudança no outro. É uma boa ideia, mas acho que é preciso considerar o contexto. Se houver tensão no ar, é possível fazer melhor do que espelhar a linguagem corporal de bloqueio. Há tantas outras coisas que você pode fazer para conseguir empatia! Cruzar os braços pode não ser a melhor ideia. Contudo, se não houver outros sinais de que realmente é um caso de linguagem corporal de bloqueio, espelhá-la pode fazer sentido. Como eu disse, braços cruzados poderiam simplesmente indicar que o ambiente está frio.

Linguagem corporal como terapia

Um dos motivos para estabelecer a empatia conscientemente é, como falamos, permitir que você guie a outra pessoa para um estado mental desejado. Esse direcionamento do estado mental do interlocutor funciona porque temos a necessidade de seguir um ao outro quando ocorre empatia. A consequência de não agir assim é a destruição da empatia e, inconscientemente, faríamos quase qualquer coisa para evitar isso. Um bom exemplo do quanto pode ser útil ter a capacidade de guiar alguém é quando você consegue transformar a linguagem corporal de bloqueio de uma pessoa em uma linguagem mais aberta, como mencionei há pouco. Lembre-se de que não está apenas transformando a linguagem corporal; você está transformando toda a atitude do indivíduo. Elas estão conectadas, lembra? O que acontece com o corpo também acontece com a mente.

Outro uso bastante prático é transformar estados negativos de amigos e entes queridos. É um método terapêutico clássico que você pode usar com facilidade. É útil quando o seu amigo estiver meio triste sem um motivo especial. Talvez seja uma segunda-feira chuvosa, na última semana antes do dia do pagamento. Vá em frente e espelhe a linguagem corporal da pessoa! Não expresse as emoções negativas com o seu corpo do mesmo modo que o seu amigo; não é a sua intenção deixá-lo ainda mais triste. O que você quer é o suficiente para criar empatia e deixar claro que você entende a situação dele. Depois de estar certo de que existe empatia, permita gradualmente que a sua linguagem corporal se abra e torne-se mais positiva. Endireite as costas, faça gestos mais expansivos, afaste os braços do corpo e comece a sorrir. Em todos os passos observe se o seu amigo está seguindo você na mudança. Se ele se extraviar e a sua orientação não estiver mais sendo assimilada, você pode recuar um passo e reconquistar a empatia. Conduzir alguém em uma situação de empatia é como dar dois passos para frente e outro para trás.

Após conseguir uma mudança suficiente na linguagem corporal do outro, você terá mudado o humor dele também. A tristeza terá se dissipado. É impossível ficar triste se você erguer as costas, elevar o queixo e sorrir. Experimente!

Mas lembre: nunca faça isso com alguém que tenha um problema real. Uma pessoa de luto, por exemplo, precisa permanecer assim por algum tempo. O pesar é uma situação em que conservamos energia e processamos mentalmente os eventos que causaram a emoção. Se você praticar esse exercício com alguém que esteja vivenciando um pesar genuíno, o processamento mental necessário para que ele prossiga será bloqueado. Nesses casos, é melhor deixar a pessoa em seu estado triste, porém necessário. Mas, como eu disse, para alguém que está apenas de baixo astral, é perfeito!

Exercícios de observação

1) Quando for a um restaurante, observe como as pessoas em situação de empatia seguem e conduzem umas às outras. Encontre um casal ou grupo de amigos que pareçam ter um relacionamento íntimo, próximo e bem-estabelecido. Observe como eles se revezam, seguindo e conduzindo a linguagem corporal de cada um enquanto conversam.
2) Você também pode tentar localizar pessoas que se sentam da mesma forma que aqueles sentados próximos a elas; ou
3) Tente notar quem se conhece e quem não se conhece em um ônibus, trem ou metrô cheio. Uma dica: procure aqueles que estejam sentados e se movimentando do mesmo jeito. Ainda que eles não estejam exatamente perto um do outro, o padrão será óbvio para você.

Exercícios para os tímidos

Você pode praticar estes exercícios se estiver um pouco intimidado pela ideia de imitar uma pessoa com quem estiver conversando.

1) Assista a um programa de entrevistas ou a um debate na televisão. Sente-se na mesma posição e mova-se do mesmo modo que a pessoa entrevistada. Você perceberá que sabe mais ou menos o que ela falará antes mesmo que ela fale. Isso não é particularmente surpreendente. Afinal, ela está sentada assim porque está pensando certas coisas. Se seguir os movimentos e as posições dela, você iniciará humores e processos mentais parecidos em si mesmo. Preste atenção a como as suas emoções e a sua percepção de si mesmo mudam à medida que você adota posturas corporais diferentes.
2) Gerar empatia a distância. Se estiver em um espaço público ou em outro ambiente social, você pode escolher alguém com quem não tenha contato direto, alguém na outra extremidade da sala, e começar a se adaptar à linguagem corporal dessa pessoa. Não se surpreenda se a pessoa não demorar a perguntar se vocês se conhecem de algum lugar. Espera-se que ela julgue você familiar, já que você é a própria imagem dela refletida! Então é importante escolher alguém com quem não se importe em conversar, não alguém indesejável. Esse é um método secreto para se aproximar de pessoas com quem você gostaria de conversar, mas é muito tímido para tanto, e despertar o interesse delas.
3) Um bom modo de se livrar da sensação de que essa pessoa perceberá o que você está fazendo é estimular que ela fale sobre si mesma. Depois, comece a espelhar a linguagem corporal dela descaradamente enquanto emite ruídos de concordância, como "aham" e "sim". Observe como ela nem está prestando atenção ao que você está fazendo. Quando falamos sobre nós mesmos, ou estamos muito irritados, nos desligamos do mundo. Falamos sobre nós mesmos para nós mesmos, e raramente percebemos qualquer coisa que alguém esteja fazendo.

No começo você pode se sentir perturbado por uma sensação de que é tudo muito artificial, de que simplesmente não é você. É isso mesmo: nesse caso, não é você. O sentimento artificial é apenas uma questão de adquirir o hábito. Quando você aprendeu a andar de bicicleta, a conexão entre executar um movimento circular com o pedal e ir para a frente era completamente artificial em princípio. Mas, depois, você descobriu como fazer e finalmente chegou ao quarto estágio de aprendizagem. Andar de bicicleta tornou-se uma das suas habilidades internalizadas e inconscientes. Tornou-se parte de você. As suas habilidades práticas para estabelecer empatia podem se tornar uma parte natural de você do mesmo jeito. Tudo o que você precisa para adquirir o hábito é começar a agir.

Como é a sua voz realmente?

Como usar a sua voz

A voz é outra ferramenta poderosa para estabelecer empatia. O mesmo princípio está em jogo aqui: você adapta a própria voz ao modo pelo qual a outra pessoa usa a dela. Mais uma vez, é claro que isso deve ocorrer gradualmente e com discrição. E assim como no caso da linguagem corporal, não há necessidade de uma imitação exata e perfeita. O fato é que, mesmo se você conseguisse se dar bem imitando perfeitamente a linguagem corporal de alguém, pareceria muito estranho se, de repente, você começasse a falar exatamente como a pessoa com quem conversa. E, como o nosso corpo é único, não conseguiríamos imitar uma voz com perfeição, mesmo se quiséssemos (é por isso que as habilidades de bons imitadores são tão apreciadas). Mas sempre é possível adaptar-se a alguma qualidade na voz da outra pessoa, algum traço do qual é possível ao menos *aproximar-se*. Ouça e veja como ela usa os seguintes elementos da fala:

Tonalidade

É uma voz profunda ou leve? Fato interessante número 1: Muitos homens falam com voz mais profunda do que a constituição da laringe deles, e muitas mulheres falam com voz mais leve do que deveriam. Isso se justifica pelo impacto cultural no comportamento. Acreditamos estar enfatizando a nossa masculinidade ou feminilidade dessa maneira. Como resultado, vários homens falam por aí em tons guturais, difíceis de compreender, até desgastarem as pregas vocais, enquanto muitas mulheres têm uma voz delicada demais e lamuriosa que nem sequer conseguem elevar o suficiente para conseguir a atenção das pessoas. Ridículo.

Plenitude

É uma voz rica com muitos timbres diferentes ou é fraca e delicada? Fato interessante número 2: Como resultado das marcas culturais, classificamos as vozes plenas e ricas como potentes, sérias e confiáveis, enquanto vozes mais delicadas parecem femininas e sedutoras. Uma voz delicada também pode transmitir uma impressão infantil.

Melodia

É uma voz monótona, que sempre permanece com um único tom? Vozes monótonas em geral não usam entonação descendente no fim de uma afirmação, tampouco entonação ascendente no fim de uma pergunta. Isso pode dificultar a compreensão do que alguém com esse tipo de voz realmente quer dizer — foi uma pergunta ou afirmação? Ou foi uma piada? O contraponto seria uma voz melódica, que usa muitos tons diferentes na fala. Os escandinavos, especialmente os noruegueses, são famosos pela fala melódica e musical.

Ritmo

A pessoa está falando rápido ou devagar? Falamos a uma velocidade equivalente ao nosso pensamento e compreensão das coisas, então, se você falar devagar demais, entediará a pessoa com quem está conversando, levando-a a pensar em outra coisa, e não na mensagem que você está tentando transmitir. Na pior das hipóteses, isso provocaria irritação e ela poderia começar a esperar que você terminasse logo, para que ela pudesse concluir a conversa antes de perder mais tempo. Por outro lado, se você falar rápido demais, corre o risco de perdê-la, e ela pode não assimilar os pontos importantes do que você tem a dizer.

Força e volume

Adaptar-se ao volume de outra pessoa é uma boa tática. Uma pessoa de fala mansa apreciará se você abrandar a voz. Alguém que fale com voz forte respeitará mais você e reconhecerá em você um companheiro se você aumentar o volume da voz. O fato é que falar ainda mais alto pode ser uma boa forma de fazer com que um tagarela abrande a própria voz, já que isso tende a chamar a atenção das pessoas para os próprios níveis de fala.

Como você vê, a voz tem muitas propriedades diferentes para você espelhar. Se for escolher apenas um traço para trabalhar, recomendo que adapte o seu ritmo. A empatia é, em grande escala, uma questão de espelhar o ritmo do outro e, no caso da fala, isso produz resultados especialmente bons. Dizem que adaptar o seu ritmo vocal é a técnica mais importante para gerar empatia. Não sei se isso é inteiramente verdadeiro, mas é uma técnica muito poderosa. A voz é especialmente importante, pois às vezes ela é a única ferramenta que temos para a comunicação — ao telefone, por exemplo. Nos Estados Unidos, uma companhia de telemarketing encomendou um estudo com o objetivo de aumentar as vendas. Eles vendiam assinaturas de revistas e, por esse motivo, entravam em contato com cada cliente potencial uma ou até duas vezes antes de fracassar ou fechar negócio. Na experiência, a equipe de vendas foi dividida em dois grupos. Um grupo continuou a trabalhar do mesmo modo de antes, enquanto o outro recebeu uma instrução a mais: tente ajustar o ritmo da sua fala ao ritmo do seu interlocutor. Usando somente essa diferença na metodologia, o segundo grupo aumentou as vendas em 30%, enquanto o primeiro não melhorou o índice de vendas anterior. Repetindo: tudo o que fizeram foi adaptar o ritmo da fala àquele da pessoa com quem falaram. Mesmo se você não for da área de vendas, um aumento positivo de 30% é muito, não importa o que você fizer nem quais sejam os seus relacionamentos, especialmente quando tudo o que você precisa fazer é observar se está falando rápido ou devagar.

> Falamos em uma velocidade equivalente ao nosso pensamento e compreensão das coisas. Se você falar devagar demais, entediará o ouvinte. Se falar rápido demais, poderá perdê-lo. Ao falar na velocidade certa, os seus pensamentos são expressos como palavras na mesma cadência na qual a pessoa com quem se conversa está acostumada a pensar.

Expressões idiomáticas

Mudando as suas expressões

O que estamos prestes a discutir não é exatamente indefinível, mas, mesmo assim, eu gostaria de continuar, já que se trata de outro jeito de obter empatia. Todos nós preferimos usar o nosso idioma de vários modos. Darei alguns exemplos desses tipos de toques pessoais e expressões idiomáticas. É sempre bom ser capaz de se adaptar a eles ou a quaisquer outras práticas linguísticas similares. É óbvio que você precisa conhecer o suficiente sobre as referências culturais envolvidas para ser capaz de adaptar a sua comunicação de forma verossímil.

Gírias

É bem difícil adaptar-se às gírias porque elas são específicas a tendências, regiões e faixas etárias. Estão sempre mudando, e uma expressão que hoje está em alta pode ser obsoleta amanhã. Se você achar que conhece o suficiente para espelhar certos tipos de gírias usadas pela pessoa com quem quiser criar empatia, vá em frente! Mas, se não souber o que responder a "Qual é, meu irmão?", é melhor nem tentar. Há grandes possibilidades de constrangimentos. As gírias também funcionam como um modo de indicar pertencimento a certo grupo, como uma faixa etária, por exemplo, então você também deve ponderar o quanto será levado a sério ao se representar como membro do grupo em questão. Se você se deparar com uma gíria que indique uma faixa etária e não pertencer a tal faixa para usá-la, você pode mostrar que é moderno o suficiente para conhecer o sentido da palavra e responder a ele, mas isso não significa que deve usá-la, exceto se estiver "qualificado". Ou seja, a menos que você pudesse ser visto plausivelmente como parte do grupo de pessoas que compartilhem esse uso particular da gíria.

Jargão

Em muitas conversas são usadas expressões necessárias somente naquele tópico específico de discussão. Quando se fala sobre barcos, termos náuticos provavelmente serão utilizados. Ao usar o jargão *na mesma medida* que a pessoa com quem estiver conversando, você mostra que tem o mesmo conhecimento e compreensão sobre o assunto. Isso acontece nas duas direções. Se alguém usar mais termos técnicos do que você faria normalmente, e você tiver o conhecimento para se adaptar à fala do outro, vá em frente. Se alguém usar menos termos técnicos do que você usaria normalmente, contenha o seu uso. Se alguém apontar para a tela e disser "o computador quebrou", provavelmente será inútil perguntar quantas partições existem no *drive* c:. Pergunte se ele já reiniciou a máquina.

Experiências pessoais

Apesar do longo tempo que passaram na escola, poucas pessoas falam conforme a norma culta exige. Temos a tendência de adicionar palavras supérfluas e desnecessárias, tipo, em tudo quanto é lugar, especialmente, sabe como é, no fim de uma frase e sei lá mais onde. Ou a começar frases com orações subordinadas. Se ouvir alguém usar expressões assim, faça o mesmo!

Palavras de transe

Todos nós temos palavras preferidas. Palavras que usamos frequentemente em todos os tipos de situações. Podem ser gírias, jargão ou algo completamente diferente. Em geral, são palavras que assimilamos de outra pessoa e adotamos como hábito ao falar. Às vezes percebemos essas repetições dolorosamente. Isso acontece quando nos flagramos usando uma delas e explodimos: "Aaaaiiiii!!! Preciso parar de falar assim!" Mas também há outras palavras que gostamos de usar e nem sempre notamos. Milton H. Erickson, o maior nome da hipnoterapia moderna e homem muito sábio e respeitável, chamava-as de "palavras de transe", como em um transe hipnótico. Um jeito bem rápido de conquistar empatia é prestar atenção às palavras de transe de alguém, ou seja, palavras frequentemente usadas ao falar, e depois você mesmo usá-las. Dessa maneira, você começa a falar a língua da pessoa, mostrando que é igual a ela, e será claramente entendido, já que vocês até usam as mesmas palavras ao falar.

Eu entendo se você disser que está começando a sentir que eu estou exigindo muito. Como é possível prestar atenção ao modo pelo qual alguém está usando a voz, adaptar a sua própria voz à dele, enquanto descobre e segue o uso linguístico pessoal por ele adotado — preferencialmente incluindo uma análise da sintaxe — e lembrar o que você ia dizer? Acredite, não é tão difícil quanto parece. Assim como você já adapta a sua linguagem corporal, de certa maneira, aos outros, você também já faz muitas dessas coisas. Darei um exemplo trivial de leitura da mente:

eu sei que, em algum momento, você acabou de falar ao telefone e as outras pessoas na sala sabiam com quem você estava conversando sem que você tivesse mencionado nomes nem dado outras pistas durante a conversa. Ao perguntar como sabiam, elas responderam que *ouviram* o seu jeito de falar. Parece familiar? Foi o que eu pensei. Elas conseguiram descobrir com quem você estava falando porque você *falou parecido com a pessoa do outro lado da linha*. Em outras palavras, você adaptou a sua voz e linguagem de modo a parecer mais com a pessoa com quem estava conversando. Provavelmente foi alguém próximo, com quem você tem empatia. Lembre: desejamos aceitação e respeito. Desejamos interação social. *Desejamos empatia.*

Respire, respire!!!

Empatia pela respiração

Um método básico para uma empatia eficaz é adaptar a sua respiração à de outra pessoa. O ponto que a maioria dos escritores e professores que ensinam isso esquece de mencionar é como costuma ser insanamente difícil perceber o ritmo da respiração de alguém. Mesmo após um longo treinamento, ver como alguém está respirando pode ser quase impossível (não estou dizendo para você não se importar; ao contrário, se de repente notar a respiração de alguém, você sem dúvida deve se adaptar ao padrão respiratório dele).

A respiração é visível de formas diferentes, dependendo de *como* se respira: com peso ou leveza, com o peito ou o diafragma. Você deve observar o estômago, o peito, os ombros e o pescoço. Às vezes é possível descobrir o ritmo respiratório de alguém a partir da observação do movimento da sombra dos ombros. Você também deve prestar atenção na fala. Não falamos enquanto inspiramos; portanto, notando onde ocorre pausa na fala, você conseguirá perceber quando a pessoa está inspirando[1].

Este é o ponto que justifica tentar acompanhar a respiração de alguém, ou seja, respirar à mesma velocidade e na mesma intensidade: ao

1. A não ser que ela seja muito calada.

respirar junto, você está entrando no mesmo "ritmo corporal" da pessoa. O que isso significa? Muitas coisas que, em outros contextos, você precisaria observar com atenção para obter empatia, chegarão naturalmente até você. Ao alterar o ritmo da sua respiração, a sua linguagem corporal e a sua fala acompanharão essa mudança automaticamente. Também ficará mais fácil descobrir um nível vocal correspondente.

Se você conseguir sincronizar totalmente a sua respiração com a de outra pessoa, o vínculo entre vocês poderá ser mágico. Infelizmente, não é nada fácil. Diferenças físicas às vezes podem impossibilitar uma respiração idêntica à de outra pessoa. A minha ex-esposa mede cerca de 1,60m e pesava 47kg quando casamos. Eu meço 1,79m e peso 73kg. Para piorar, ela respirava com o peito, o que significa que ela inspirava menos ar do que a capacidade pulmonar permitia. Eu não conseguia acompanhar a respiração dela por mais de um minuto sem perder o fôlego. É claro que você não deve sair por aí se asfixiando na tentativa de acompanhar a respiração dos outros. Mas tente aproximar a sua respiração ao máximo, sem esforçar-se tanto.

Como eu disse antes: use o seu conhecimento sobre o tempo da outra pessoa em todas as ações rítmicas, como movimentos afirmativos com a cabeça ou apertos de mão, e assim esses movimentos também serão seguidos corretamente, não destruindo a empatia.

Primeiro, você terá mais sucesso tentando observar o *ritmo geral* da pessoa em vez de tentar acompanhar a sua respiração com exatidão, e depois começará a respirar naquele ritmo sem se preocupar em seguir toda a mecânica da respiração. É bem possível que você comece a acompanhar a respiração dela algum tempo depois, mas, mesmo que não faça, você terá conquistado o mais importante: sincronizar o seu ritmo geral com seu interlocutor.

Observar a respiração do outro e tentar respirar do mesmo modo também é um jeito rápido de entender o humor dele. Esse tipo de conhecimento é útil em situações em que você sinta que há empatia, mas algo está atrapalhando o relacionamento. Comece a seguir a respiração da pessoa. Se perceber que ela está respirando rápido e em cima, no peito, embora pareça calma e tranquila, é muito provável que exista alguma preocupação que ela está tentando esconder de você. Esse tipo de informação é valioso em diversas situações. O melhor é não precisar lembrar quais tipos de humor se encaixam com quais tipos de respiração. Simplesmente respirando como a pessoa, *você mesmo* sentirá o humor — nesse caso, ansiedade —, portanto saberá exatamente qual é o estado emocional dela.

> **Exercício do abraço**
>
> Se você conhece alguém que possa abraçar sem precisar explicar que se trata de um exercício de empatia, talvez a pessoa com quem você namora, você deve abraçá-la de modo que a respiração dela fique muito clara. Comece observando a enorme diferença entre respirar em sincronia e respirar sem sincronia. Siga a respiração do outro por mais ou menos um minuto.
>
> Depois, mude calmamente o ritmo da sua própria respiração. Se o outro acompanhar a sua mudança inconscientemente, você conquistou a empatia usando a respiração. No livro *Equilibrium*, Martin Nyrup e Ian Harling sugerem essa experiência sem roupa. Se você tiver a sorte de ter alguém a quem possa abraçar nu (recomendo alguém conhecido) na hora de dormir, por exemplo, você deve tentar respirar em sincronia e sem sincronia. Você perceberá uma diferença muito clara e tangível entre, por um lado, uma conexão total e, por outro lado, uma sensação desconfortável de estar distante da pessoa que está perto de você.

Coelho da Energizer *vs.* Garfield

Preste atenção aos níveis de energia

Vamos nos afastar um pouco e conseguir uma visão mais holística da pessoa com quem deseja estabelecer empatia. É claro que você precisa ser capaz de notar a situação dessa pessoa em termos de estado emocional e níveis de energia. Mais adiante eu ensinarei como identificar estados emocionais diferentes com mais detalhes do que a pura análise da respiração. Porém, o melhor modo de determinar os níveis de energia de um indivíduo é observar a sua postura e respiração, e usar o seu *conhecimento prévio sobre a pessoa.*

Algumas pessoas ficam meio reclusas até a hora do almoço. Vão para o trabalho de manhã, murmuram um arremedo de "bom-dia" e afundam na cadeira. É como se exibissem uma placa invisível de "não perturbe" até as 11 horas, mais ou menos, e só depois do almoço ou da quinta xícara de café elas abrem os olhos e saem da toca. O que não significa que o trabalho delas seja ruim. Apenas significa que os aspectos sociais delas precisam de mais tempo para engrenar. Essas pessoas raramente têm um ritmo corporal rápido, mesmo depois de cinco xícaras de café (isso só as deixa nervosas). São como o gato Garfield. Todos nós somos eventualmente assim, mas, para alguns, esse é um estado permanente.

E também, é óbvio, temos o oposto: as pessoas que estão sempre cheias de energia, perseverança e determinação. Elas correm dez quilômetros até o trabalho, chegam à empresa com um sorriso enorme meia hora antes de todo mundo aparecer, quase sempre jogam a sua partida de *squash* na hora do almoço, e, no fim do dia, correm de volta para casa.

Tive um colega assim. Ele tinha seis filhos. Na hora em que ficava sozinho na empresa, todos os dias — depois de ter chegado ao trabalho correndo ou de bicicleta —, ele editava os vídeos da família gravados no fim de semana, incluindo menus de DVDs e faixas de áudio extras. Ele não tem nada de Garfield; está mais para o coelho da Energizer.

Garfield e o coelho da Energizer podem não se dar bem

Talvez você seja uma dessas pessoas que chegam ao trabalho explodindo de energia. Se encontrar um colega sonolento e introvertido, cuja aprovação você precise desesperadamente para um projeto, pode ser uma boa ideia desacelerar um pouco. Não tente ser entusiasmado por vocês dois, ao menos em princípio. Se você aparecer com cumprimentos efusivos e der um tapa forte nas costas dele, fazendo com que ele derrame café na mesa, é quase certo receber um não. O contrário também se aplica. Se você for uma dessas pessoas vagarosas e cautelosas, pode dar um jeito de ficar mais acelerado. É provável que a sua letargia incomode as pessoas mais energéticas ao redor. Felizmente existe um jeito fácil de fazer isso descubra no quadro a seguir!

Exercício de energia

Você lembra como usou a linguagem corporal para causar mudanças positivas no seu amigo quando ele estava triste? Funcionou porque os nossos estados físicos e mentais estão conectados. É possível usar o mesmo princípio para mudar o seu próprio humor ou nível de energia. Simplesmente comece a agir *como se* você fosse mais energético ou alegre. Imagine o rosto que teria, como sentaria, ficaria de pé ou moveria o corpo se tivesse muito mais energia do que tem agora. No começo você pode se sentir meio estranho, mas logo notará que de fato você *está* mais energético e positivo do que antes. Deixe as reações corporais que você for capaz de controlar, o que estiver fazendo com os seus músculos e movimentos, ativarem processos no seu cérebro. A ideia é basicamente fingir até conseguir.

Ou, como disse o psicólogo americano William James, na virada do século passado: "A ação parece seguir o sentimento, mas na verdade ação e sentimento andam juntos; e, regulando a ação, que está sob o controle mais direto da vontade, podemos regular indiretamente o sentimento, que não está".

> Então, a melhor maneira de ficar feliz quando não se está é sentar como se não estivesse se preocupando com nada, olhar ao redor com um rosto feliz, agir e conversar como se estivesse feliz!

Não é muito difícil descobrir os níveis de energia. É mais uma questão de senso comum do que análise detalhada para a adaptação das suas ferramentas de comunicação, muito embora os resultados sejam os mesmos, é claro. Lembre-se do que eu ensinei sobre observar, acompanhar e estabelecer empatia. Oito horas da manhã realmente é o momento certo para mostrar o seu maravilhoso relatório, cheio de boas ideias? Você poderia marcar a reunião para depois do almoço, quando sabe que a outra pessoa será mais receptiva? Se isso não funcionar, você precisa ter o cuidado de se apresentar de um modo que combine com o humor do seu interlocutor. Caso contrário, você pode se deparar com uma resistência ferrenha. Não que as suas ideias não sejam boas, mas porque os seus níveis de energia não estão combinando com a pessoa com quem você está conversando.

Fale de modo convincente

Seja coerente nas suas palavras e atitudes

Quando nos comunicamos, provocamos estados emocionais diferentes na pessoa, independentemente da nossa vontade. Pode acontecer intencionalmente, como aquelas situações em que dizemos algo para alegrar, irritar ou surpreender alguém. Veja exemplos de expressões com as quais desejamos uma resposta emocional:

"Você sabia disso?" "Não suporto o Mel Gibson!" "Sabe o que aconteceu depois??" "Amo você."

Pode acontecer, inclusive, sem intenção, como situações nas quais o que dizemos desencadeia associações emocionais na pessoa com quem conversamos sem que percebamos. "Como vai?" é algo que costumamos dizer sem outro objetivo além de cumprimentar a pessoa. Mas, se as coisas estiverem ruins, até uma pergunta inocente como essa pode levar às lágrimas.

Também mudamos os estados emocionais das pessoas demonstrando e, portanto, projetando as nossas próprias emoções. Se estamos felizes, as pessoas ao redor tendem a ficar bem. Se estamos tristes, elas também ficam, ainda que não digamos nada. É frequente até pedir que as pessoas entrem em estados emocionais diferentes intencionalmente:

"Anime-se!"

"Acalme-se!"

Para que as pessoas entendam o que queremos dizer e para parecermos convincentes, precisamos projetar a emoção que estamos pedindo enquanto falamos coisas assim. Se você deseja acalmar alguém, o jeito errado é agarrar os ombros dele, sacudir e gritar "FIQUE CALMO, DROGA!!!" Se quiser que a pessoa relaxe, você precisa estar relaxado. Como pai, sei o quanto isso pode ser incrivelmente difícil às vezes. Porém, é importante. Para conduzir a pessoa com quem você está conversando ao estado emocional que você está pedindo, é preciso dar o exemplo e ser convincente. É melhor bocejar enquanto pergunta: "Você não está cansado também?" do que dizer isso enquanto faz ginástica, pelo menos se o seu objetivo for provocar cansaço.

Se quiser acalmar alguém, é preciso irradiar calma. Não fale muito alto, evite inquietações e não deixe de respirar profundamente, não no alto do peito. Se deseja que alguém se sinta confiante, não basta apenas falar sobre ser confiança, é preciso agir de modo confiante. Agindo assim você também oferecerá uma *sugestão* muito clara, ou seja, uma proposição ou instrução dada para iniciar o processo na mente inconsciente da pessoa (mais adiante esmiuçarei essa engenhosidade). Não se trata apenas de mostrar; você promove a compreensão do que está falando de modo direto e emotivo, e mostra que não é tão difícil conseguir ficar assim. Estabelecendo uma compreensão emocional, você também cria uma experiência íntima e pessoal do mesmo sentimento na pessoa com quem estiver se comunicando. Falar sobre algo significa relacionar-se a isso em âmbito externo e analítico, mas entendê-lo emocionalmente é uma experiência interna e pessoal. Experiências internas sempre são as mais fortes. Pense na diferença entre falar sobre um abraço amoroso e receber um abraço amoroso. O que você prefere?

Se houver desarmonia entre as palavras ditas e o que é comunicado pela linguagem corporal e tom de voz, a mensagem silenciosa passará a ser prioritária. Se alguém gritar para você se acalmar, dois estados emocionais diferentes serão comunicados: o externo (as palavras) e o interno (a experiência). Qual você seguirá? Uma situação assim relaxa ou acelera você? Não precisa ser um *expert* em leitura da mente para perceber que a última opção é a resposta certa.

Aikido da opinião

A nobre arte de concordar com as pessoas

Outra ferramenta poderosa para criar empatia é *concordar.* Eu sei que parece simples, mas é muito sério. Veja como fazer: tente descobrir *alguma* atitude ou opinião da outra pessoa com a qual você possa concordar. Isso é ainda mais importante se você também estiver pretendendo provocar uma mudança de opinião sobre algum assunto mais adiante. Se estiver tentando informar sobre como as coisas realmente são, você corre o risco de enfrentar resistência se disser à pessoa que ela está errada. Ela entrará no modo de defesa em vez de ouvir (é importante lembrar que o único animal do planeta disposto a matar para defender as suas opiniões é o ser humano). A pior coisa que você pode fazer se quiser convencer alguém a adotar as suas ideias é confrontá-lo diretamente. A empatia diz respeito a permitir que a pessoa com quem se comunica perceba que você a entende, que você é como ela. Isso se aplica às opiniões também.

É claro que não se deve fazer isso a ponto de trair os seus valores e princípios. Porém, geralmente, há algo com o qual você pode concordar. Se você conhecer alguém em uma negociação em que as suas posições sejam diametralmente opostas, talvez vocês gostem de barcos, pelo menos. Ou de jogar *World of Warcraft*. Ainda que você pense que a outra pessoa não entendeu nada da questão em discussão, ou simplesmente está louca, é sempre possível concordar que *se você estivesse no lugar dela* (ou seja, se você também não tivesse entendido nada, mas é lógico que nunca se fala isso), *você se sentiria como ela*. Mesmo se estiver lidando com um verdadeiro trapaceiro, ainda é verdade dizer que *faria o mesmo se fosse ele*. As simples palavras "se eu estivesse na sua situação, pensaria como você" podem operar maravilhas para a empatia. Se você pensar bem, realmente fica óbvio que se você fosse a outra pessoa, você faria o que ela está fazendo. Mas isso não é recebido assim; mais exatamente, interpretamos como um indício de que alguém nos entende.

Encontrar um assunto com o qual concordar — e partir daí — é o mesmo tipo de princípio que você usaria na arte marcial do *aikido*. Se tentar obstruir as opiniões da pessoa, afirmando "você está errada", iniciará um combate mental que acabará sendo exaustivo e improdutivo para vocês dois. Contudo, ao dizer "Eu me sinto como você", você se aproxima. Você teria despendido todos os seus esforços para conter a energia da pessoa, mas agora pode usá-la para impulsionar vocês dois na direção de um destino diferente. Adote o papel de seguidor em vez de apresentar um obstáculo. A pessoa com quem você conversa não se importará, porque agora, de repente, vocês passaram a trabalhar juntos em busca de uma meta comum, em vez de lutar para determinar quem está certo. Existe empatia. Os dois estão no mesmo lugar e compartilham a mesma compreensão. O *aikido* consiste em não obstruir o ímpeto do seu adversário, mas sim usá-lo para derrubá-lo, se necessário.

Shakespeare para presidente

A nossa realidade é constituída, em grande parte — talvez inteiramente —, pelas nossas ideias do que é verdadeiro. Manipular as crenças de uma pessoa significa, portanto, influenciar a realidade dela. Políticos hábeis sabem disso há muito tempo. Quando se está na oposição, é sempre melhor começar concordando com a opinião mais popular antes de formular as mudanças para melhor que você gostaria de acrescentar. Na peça *Júlio César*, de Shakespeare, Brutus, o homem mais próximo ao ditador romano, é acusado de assassinar César, um crime do qual ele é culpado. *Até tu, Brutus?* Mas, no funeral de César, Brutus profere um discurso apaixonado que convence as pessoas de que o seu ato havia sido bom. Independente do quanto Brutus amava César, ele percebeu que o governo desorientado de César estava arruinando a todos. Apesar de entender as consequências para si mesmo pessoalmente, ele decidiu que essa era a única solução. O seu crime hediondo foi motivado pelo amor que sentia por Roma, não por ódio contra César.

As pessoas simplesmente amam alguém assim, então ficam preparadas para perdoá-lo. Marco Antônio, porém, está de sobreaviso e também tem um discurso preparado para o funeral. Ele quer que Brutus seja condenado por assassinato, então prefere falar por último, o que lhe dá a oportunidade de ouvir o que Brutus tem a dizer antes. Quando chega a vez de Marco Antônio, ele inicia o discurso com uma declaração surpreendente: ele concorda com todos, enaltecendo Brutus como um homem honrado. Depois de esclarecer a todos que está de acordo com eles, o palco está montado para a sua retórica. Durante o discurso, usa argumentos emotivos inteligentes para levar os ouvintes a concluir que o assassinato foi injustificado e que o assassino deve ser banido. Se ele tivesse começado afirmando isso, que era a sua verdadeira opinião sobre a questão, ninguém o teria escutado. Então, em vez de obstruir e se tornar um obstáculo, ele começa concordando para conseguir assumir o papel de seguidor. Marco Antônio deveria ter sido faixa preta no *aikido* da opinião. E, com habilidades retóricas desse nível, Shakespeare, que escreveu tudo, deveria ter entrado para a política.

Primeiro concorde, depois conduza

Em resumo: não se deve trair os próprios valores e princípios ao usar o *aikido* da opinião. Você também não precisa mentir. Toda a empatia deve estar pautada na sinceridade. Às vezes não há problema em descobrir valores ou opiniões comuns, mas existem situações em que pode ser muito mais difícil. Em negociações e debates, pressupõe-se que partes diferentes tenham opiniões opostas.

Se você discordar muito da questão em discussão ou negociação, pode ser uma boa ideia encontrar outra questão em que exista um denominador comum. Se você não encontrar nenhum denominador comum, o que pode acontecer se estiver discutindo com alguém cabeça-dura, você pode dizer: "*se eu fosse você, estaria me sentindo da mesma maneira. Também estaria chateado por causa das mentiras que contaram*". Naturalmente, isso é sempre verdade. Se você fosse a outra pessoa, é claro que se sentiria assim.

Se alguém irromper na sala com uma nuvem negra de raiva pairando sobre a cabeça, der um soco na mesa e gritar: "Isto é INACEITÁVEL!!", o melhor a fazer é levantar, deixar de lado ruidosamente o que estiver fazendo e falar bem alto: "Concordo!! Entendo COMPLETAMENTE por que você acha inaceitável! Se eu fosse você, acharia o mesmo!" Ou seja, use o *aikido* da opinião, além de corresponder à linguagem corporal, tom de voz e nível de energia. Em seguida, depois de diminuir um pouco o volume e o ritmo da sua voz e talvez até sentar-se na beira da mesa, continue: "Mas sabe de uma coisa? Acho que dá para resolver". Você começa a conduzir, tanto em direção a um estado emocional mais adequado quanto a uma nova abordagem ou ideia que você tenha e que possa mudar a ideia que a pessoa tem da situação. Além de estabelecer uma base sólida para resolverem o problema juntos, é uma ótima forma de extinguir o fogo de pessoas com temperamento inflamado. Quem está irritado procura oposição, briga, e deseja que alguém entre na sua frente para poder jogar a própria raiva. Aceitando esse sentimento, afirmando que ele tem o direito de estar bravo e concordando com ele, você pode subjugar a raiva dele rapidamente.

A sua meta é, como sempre acontece na empatia, permitir que a outra pessoa perceba que você a entende. Que você sente o mesmo e é igual a ela. Assim, ela também estará muito mais disposta a ouvir as suas sugestões. Se você aparentar estar no mesmo lugar, a pessoa fará um esforço maior para enxergar o valor das suas ideias, já que este é um jeito de manter a empatia. *Se eu estivesse na sua situação, eu me sentiria exatamente assim.* Simples assim.

Kung Fu da opinião: estilo "e" no ataque, usando o "mas" oculto

Conectando afirmações diferentes

Uma técnica simples para uma concordância aparente e para levar as pessoas a aceitar argumentos possivelmente duvidosos é usar a palavra "e" em vez de "mas". A palavra "mas" sinaliza reserva, enquanto "e" conecta frases e afirmações. A função conectiva do "e" é tão forte que não faz diferença se as duas afirmações conectadas de fato se contradizem. Bons políticos aprenderam como usar ligações com "e". Compare estas duas situações, em que Agneta, que é política, começa a conquistar rapidamente alguns pontos populistas, falando sobre algo que todos consideram importante.

Situação 1

Agneta: "Queremos melhorar o sistema de saúde, então precisamos aumentar os impostos".

Annefrid: "Queremos melhorar o sistema de saúde também, *mas* queremos diminuir os impostos".

Situação 2

Agneta: "Queremos melhorar o sistema de saúde, então precisamos aumentar os impostos".

Annefrid: “Concordo com você, precisamos melhorar o sistema de saúde, *e* é por isso que queremos diminuir os impostos”.

No primeiro debate, Annefrid posiciona-se na oposição, usando a palavra “mas”, o que significa que está contradizendo Agneta. Ao fazer isso, Annefrid está perdendo muitos votos. No segundo debate, Annefrid conquistará facilmente os mesmos pontos de Agneta, apesar de não ter mudado a sua mensagem e de ainda opor-se a ela! “E” imprime uma qualidade quase causal a qualquer afirmação. O que vem depois do “e” é percebido como uma consequência quase inevitável do que o precede. A reserva expressa por “mas” surte o efeito oposto.

Como fazer amigos por correspondência

Empatia por e-mail

Os mesmos princípios que você usaria em um encontro pessoal ou telefonema se aplicam a comunicações escritas, que vêm se tornando cada vez mais importantes na vida das pessoas graças a tecnologias, como e-mails, mensagens de texto e salas de bate-papo. A principal diferença é a impossibilidade de se adaptar a fatores como linguagem corporal ou ritmo da fala. Entretanto, ainda assim é possível acompanhar as experiências, opiniões e expectativas da outra pessoa. Até mesmo na escrita, você pode tentar acompanhar o “tom” ou o humor também. Você está se correspondendo digitalmente com alguém sério, despreocupado, formal ou informal? A redação consiste em frases longas ou curtas? Vários parágrafos curtos ou um parágrafo longo? E o uso de linguagem pessoal, como jargão ou expressões estrangeiras? Consegue identificar alguma palavra de transe? Descubra a forma de expressão que a pessoa está usando e adapte-se a ela o máximo possível. Se receber este *e-mail*:

> *e aí? tudo certo pra sexta? vai rolar? /sa*

Você não deve responder assim:

Oi, Samus!
Analisei a situação e concluí que a solução mais eficaz seria marcar o encontro para a tarde. Por favor, dê-me um retorno, como você desejar, confirmando se a proposta está de acordo com a sua agenda.

Atenciosamente,
Henrik Fexeus

Uma resposta mais adequada seria:

oi — pode ficar pra sexta à tarde?

Isso é especialmente importante em casos de comunicação por e-mail. O e-mail não substituiu — como previam — as cartas. Pelo menos não em termos de como o usamos para a comunicação. Na verdade, o e-mail substituiu os telefonemas. Ao enviá-los, nós nos expressamos de modo muito próximo como falamos. O problema é que a fala é inteiramente dependente do uso que fazemos da voz e do rosto (ou até do corpo) para fazer sentido. Precisamos do tom da voz, ritmo, entonação mais forte ou mais suave no fim das frases, ênfase ao usar as sobrancelhas, movimentos da cabeça etc. para realmente conseguir decodificar o que é dito para nós. (Falarei mais a respeito do uso das expressões faciais para enfatizar as palavras). Mas, no e-mail, nada disso está disponível. Usamos as palavras do mesmo jeito que fazemos ao falar, mas sem a estrutura necessária para posicioná-las e entendê-las adequadamente. É por isso que inventaram *emoticons* ou *smilies*. Os mais comuns são :-) e :-(, mas ;-) e :-P também são conhecidos, assim como vários outros, como 8=B-(|), por exemplo (embora raramente precisemos usar um *emoticon* representando uma pessoa que usa óculos, com enchimento nos lábios e um chapéu de chef). O fato é que tivemos de construir todo um alfabeto de símbolos abstratos para esclarecer o que queremos dizer. Contudo, ainda não é suficiente. Também usamos acrônimos estranhos, como *lol*, imho, *rs*, rotfl (caso não conheça, eles significam "dando gargalhadas", "na minha humilde opinião", "risos" e "rolando no chão de tanto rir", respectivamente) etc. para garantir que as pessoas não levem uma piada a sério nem achem que estamos tentando aparecer. Usar as mesmas palavras, frases e descrições da outra pessoa torna-se vital, porque não é apenas um jeito de estabelecer empatia, mas também de criar algum nível de compreensão.

Um atalho antigo

Levar as pessoas a falar sobre si mesmas

O fato de que todos querem mais é falar sobre si mesmos é uma gota de sabedoria antiga. Dale Carnegie, mestre pioneiro da empatia, no seu livro *Como fazer amigos e influenciar pessoas*, publicado em 1936, afirma que, se deseja que as pessoas pensem que você é um ótimo parceiro para conversas, tudo o que precisa fazer é deixar que falem sobre si mesmas. Depois, basta balançar a cabeça e emitir um ruído encorajador de vez em quando!

Conseguir que alguém fale sobre si mesmo, naturalmente, também é uma boa maneira de conduzi-lo a um estado em que não preste atenção conscientemente ao que você está fazendo, como já mencionei antes. É uma boa ideia para ocasiões em que você gostaria de praticar a correspondência da linguagem corporal. Levar as pessoas a falar sobre si mesmas é, sobretudo, um atalho veloz para a empatia.

Testando

Tendo certeza de que existe empatia

Há várias formas diferentes de verificar se existe empatia entre você e outra pessoa. Um dos motivos para estabelecer empatia é permitir que você conduza o outro, então por que não começar verificando se realmente consegue fazer isso? Mude algo na sua linguagem corporal ou no ritmo da fala e veja se a outra pessoa acompanha você. Se ela estiver acompanhando, fará a mesma mudança. Quando existe empatia, vocês revezam entre conduzir e acompanhar um ao outro. Se a pessoa com quem você estiver estabelecendo empatia não o acompanhar quando você tentar conduzi-la, volte a acompanhá-la e restabeleça o relacionamento. Depois, uma oportunidade nova para começar a conduzir a situação novamente. A maioria das interações envolve acompanhamento e condução constantes, indo e voltando, até que as duas partes cheguem a um acordo, senão a conversa termina. Funciona da seguinte forma:

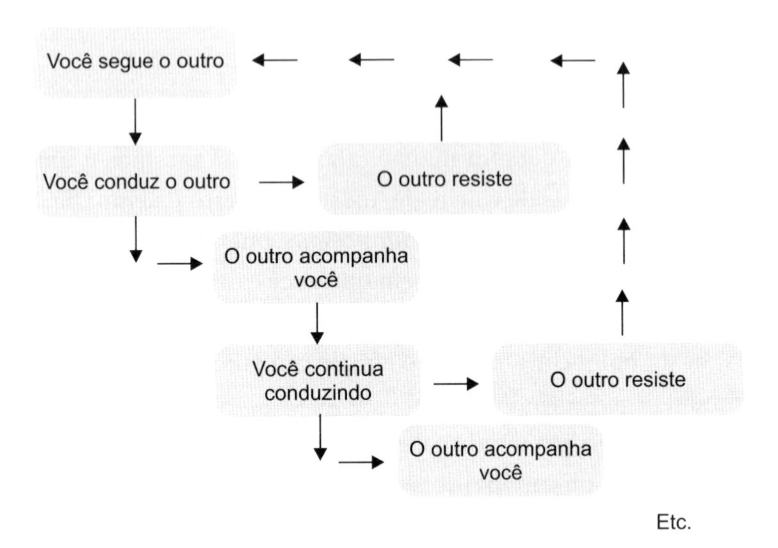

Onde está o foco dele?

Observar onde a pessoa está concentrando a atenção é uma coisa boa de fazer se você deseja saber se tem o interesse dela. Ela deve estar confortavelmente sentada, de preferência com os dois pés no chão ou uma perna cruzada sobre a outra, ficando claro que ela não está prestes a sair. Se você estiver de pé, os pés da pessoa devem estar apontados para você, não importa se as pernas estiverem cruzadas ou não. A posição com as pernas bem abertas e talvez até com os polegares dentro dos bolsos da calça revela uma atitude confiante. É uma pose máscula, mais usada pelos homens. Alguém cujas pernas estejam paralelas está adotando uma atitude neutra em relação a você. Pernas cruzadas significam que a pessoa precisa ir ao banheiro ou que se sente inferior a você. Todas essas posições diferentes das pernas, porém, significam que a pessoa está preparada para ouvir. A única diferença é onde o dono das pernas se posiciona na escala social em relação a você.

Por outro lado, uma "posição de *cowboy*", com uma perna levemente curvada e o pé apontando para o lado, indica que a pessoa já está se distanciando mentalmente de você.

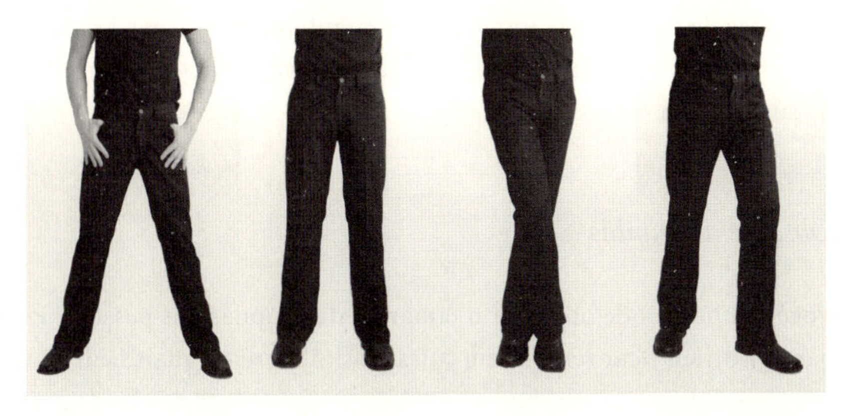

Confiante... *Neutro...* *Inferior...* *Distanciado...*

Este é um momento Tai Chi congelado. A pessoa na última figura estava transferindo o peso para uma perna, começou a se mover e congelou no meio do caminho. Não fique tão confuso simplesmente por ficar de pé com uma perna na frente da outra. Costumamos fazer isso, mas mantemos o nosso centro de gravidade atrás. Nesse caso, o centro de gravidade moveu-se para a frente. A pessoa está parada no momento, mas, quando o movimento terminar, o centro de gravidade será movido através da perna, a perna será esticada e ela se afastará. Isso não significa, necessariamente, que ela tenha se cansado da sua companhia, apesar de *poder* significar isso. Apenas indica que, em algum ponto da mente, ela começou a considerar o que fazer a seguir. Talvez ela esteja com pouco tempo ou tenha notado outra pessoa com quem deve falar enquanto tem a oportunidade etc. Não importa o quanto essa pessoa queira continuar ouvindo você, você não dispõe mais da sua atenção exclusiva, então faça um favor a ela e acabe a conversa assim que for possível. Seja lá o que você fizer, não tente explicar alguns pontos finais e importantes no fim da conversa. Provavelmente ela não lembrará deles. Se ainda tiver coisas importantes a dizer, é melhor guardá-las para a próxima vez em que se encontrarem, então você deve terminar rapidamente e marcar outro encontro.

Para ter certeza absoluta de que o foco da pessoa está em você, ela deve estar olhando nos seus olhos enquanto você fala, e não olhando para além de você, para as suas orelhas ou rastreando a sala em busca de saídas de emergência (tanto físicas quanto psicológicas). Se você estiver sentado, uma pessoa interessada também se inclinará levemente na sua direção.

Observe as pupilas

Você também pode observar o tamanho das pupilas das pessoas. Pode parecer difícil ficar reparar em coisas assim, porém é mais fácil do que imagina. O que você está buscando são mudanças no tamanho da pupila. Quando algo nos interessa, as nossas pupilas se dilatam. É claro que as pupilas também são afetadas pela luz e escuridão. Em locais escuros, precisamos de mais luz para conseguir ver, então as nossas pupilas se abrem mais. O fato é que só é preciso que você esteja vestindo roupas escuras ao conversar com a pessoa para que as pupilas dela se expandam. Então, pupilas dilatadas não significam necessariamente que exista empatia ou que alguém esteja interessado em você. Pode não passar de uma reação à iluminação ou uma indicação de que ela está bêbada como um gambá, por exemplo. O que você de fato procura são mudanças. Se vir as pupilas de alguém dilatarem ainda que as condições do ambiente (como a iluminação) sejam as mesmas, é sinal de que ela ficou mais interessada e envolvida na conversa.

Não sei se é verdade, mas muitos livros descrevem como os mercadores de jade na China Antiga começaram a usar óculos escurecidos com fuligem para esconder as pupilas. A tradição exigia barganha e pechincha ao comprar pedras preciosas e, se notassem que o comprador estava particularmente interessado em certa pedra, é claro que o preço seria maior.

Exercício da pupila

Comece a conversar com alguém sobre algo terrivelmente chato, como o enguiço da máquina copiadora do seu escritório. Observe o tamanho das pupilas da pessoa nesse ponto. É um tamanho neutro, causado pelas condições de iluminação. Agora, mude o assunto e fale sobre algo que você sabe que interessa muito à pessoa: os filhos ou o barco dela, por exemplo. Observe a dilatação óbvia das pupilas que ocorre à medida que ela se interessa mais pela conversa. É como ver a lente de uma câmera se abrir.

Então as pessoas tentavam controlar o próprio comportamento o máximo possível, mas uma coisa que sempre traía o interesse do comprador era o tamanho das pupilas. Quando descobriram isso, os mercadores de jade chineses começaram a usar óculos escuros. Recentemente, os jogadores de pôquer descobriram o mesmo truque. Quando assistir a um dos grandes campeonatos na televisão, veja quantos jogadores na final usam óculos escuros. Outros acessórios populares são lenços e chapéus. Não importa o quanto o seu rosto de pôquer seja bom, não é possível controlar o seu sistema nervoso autônomo. Goste ou não, as suas pupilas vão reagir— junto com outras coisas, como pulso e suor — quando você se emocionar ou ficar animado.

Uma pessoa interessada tem pupilas dilatadas, e você, por sua vez, ficará interessado em alguém que demonstre interesse em você. Desnecessário dizer que gostamos das pessoas que gostam de nós, não é? Nesse contexto, as mudanças no tamanho da pupila são sinais extremamente poderosos aos quais a nossa mente inconsciente reage com clareza. Em uma experiência famosa, mostraram a homens fotos idênticas do rosto de uma mulher, com uma única diferença: as pupilas haviam sido dilatadas em uma das fotos. A diferença era tão sutil que você nunca notaria se não soubesse. Essas duas fotos foram mostradas a um grupo de homens heterossexuais, que depois foram questionados sobre qual foto era a mais atraente. A foto com as pupilas maiores foi sistematicamente julgada mais atraente do que a foto não manipulada — apesar do fato de os sujeitos do teste terem sido incapazes de explicar por que pensavam assim, já que não conseguiam ver nenhuma diferença entre as fotos. Pelo menos não conscientemente. Mas a mulher em uma das imagens tinha pupilas maiores que sinalizavam maior interesse no homem que estava olhando para ela do que o seu clone na outra foto. E isso a tornou mais atraente aos olhos dos sujeitos do teste.

A beleza definitivamente está nos olhos de quem vê. E no quanto imaginamos que temos chances...

Quando é que não funciona?

Situações em que não se deve seguir o comportamento de alguém

Naturalmente, há algumas situações em que você não deve se adaptar ao comportamento de alguém. Eu sugiro que você não acompanhe coisas que acredita que a pessoa possa julgar incômodas ou insatisfatórias sobre ela mesma, como mancar ou outra deficiência. Você também não deve espelhar a gagueira ou a respiração asmática de alguém. Muitos falantes de um dialeto ou sotaque são muito conscientes desse fato, especialmente se tiverem se mudado de sua região natal. Ter um pouco de vergonha do próprio dialeto não é assim tão incomum, especialmente em áreas urbanas maiores. Por esse motivo, você deve evitar falar em dialeto ou mudar seu sotaque se esse não for o seu hábito. Em termos gerais, deve-se evitar quaisquer tipos de tiques ou outros comportamentos nervosos. E, como eu disse, você não deve concordar com coisas com as quais de fato não concorde. Não ignore os seus sentimentos. Em geral há muitas outras coisas com as quais você está mais preparado para concordar. Quando alguém estiver sentindo fortes emoções negativas, como raiva ou tristeza, você deve evitar ficar tão irado ou triste quanto ele. Mas sinta-se livre para adaptar o seu próprio compromisso e níveis de energia para ajudar a compreender melhor a situação dele e o que ele está vivenciando, ajudando a criar empatia.

O grande hipnotizador Milton H. Erickson disse algo inteligente que também funciona em situações em que você queira empatia, assim como na vida em geral: sempre que fizer algo, se perceber que não funciona, pare e tente outra coisa. Se não conseguir resultados acompanhando a linguagem corporal de alguém, você deve fazer outra coisa. Comece seguindo a voz e as opiniões. Ou acompanhe os padrões de pensamento reais dele (discutiremos como no próximo capítulo).

As ferramentas que você recebeu agora são mais do que suficientes para estabelecer empatia, mas todas elas dependem de você seguir o comportamento de alguém sem saber o que o causou. Até agora ficamos satisfeitos em observar as pessoas por fora. No próximo capítulo, entraremos na mente delas para saber e entender o que de fato estão pensando.

> *Sempre que fizer algo, se perceber que não funciona, pare e tente outra coisa.*
> Milton H. Erickson
>
> Se você pensar em diferentes situações da sua vida em que não houve progresso, provavelmente perceberá que o motivo que o paralisou, em primeiro lugar, foi teimar várias vezes na mesma solução fracassada. As soluções mais simples costumam ser as mais difíceis de encontrar. As palavras de Erickson são uma regra prática tão boa para qualquer situação na vida que eu gostaria de repeti-las:
>
> Sempre que fizer algo, se perceber que não funciona, pare e tente outra coisa.

Capítulo 4

Aqui você conseguirá comer um limão, caminhará na praia e entenderá como as nossas impressões sensoriais determinam os nossos pensamentos e comportamentos.

SENTIDOS E PENSAMENTO

Como os nossos pensamentos são determinados pelas nossas impressões sensoriais

Até agora você aprendeu como os nossos pensamentos, sentimentos e estados mentais nos afetam fisicamente, e que o oposto também ocorre. Neste momento precisaremos voltar bem para o começo, porque a verdade é que começamos em algum ponto no meio do caminho. Já que você aprenderá a ler pensamentos, acho que devemos dedicar algum tempo a discutir o que os pensamentos, de fato, são. Mas não se preocupe: não se trata de um assunto teórico e estritamente acadêmico. É algo que, como tudo o mais neste livro, você definitivamente será capaz de usar na prática.

Quando pensamos, geralmente iniciamos um entre dois processos diferentes. Ou lembramos, quero dizer, repetimos pensamentos que já tivemos, ou construímos pensamentos novos. Em ambos os casos as nossas impressões sensoriais desempenham um papel importante. Os sentidos da audição, visão, tato, paladar, olfato e equilíbrio não são apenas importantes para explorar o nosso ambiente, mas também são usados quando pensamos em coisas que não se relacionem ao estímulo sensorial direto que recebemos. Usamos as nossas *memórias de diferentes experiências e impressões sensoriais* para pensar. Quando nos lembramos de algo, como as nossas últimas férias, fazemos isso visualizando as imagens, imaginando os sons que ouvimos, talvez até os odores etc. Ao lembrar, recriamos impressões sensoriais que tivemos previamente. Porém, as impressões sensoriais também são importantes para construir pensamentos novos. Leia este texto e tente imergir nele o máximo possível:

Imagine-se caminhando na praia. Você está descalço e sente a areia sob os pés. É tarde e você sente a areia macia e morna entre os dedos. O sol está baixo e você aperta os olhos ao olhar para ele. O único som que escuta são as ondas indo e vindo, e às vezes alguma gaivota grasnando ao se precipitar sobre a água. Você para e respira fundo. Dá para sentir o perfume das algas no ar. Você vê uma concha na areia e a pega, segurando a concha na mão e tocando a sua superfície áspera e branca com o polegar. Você guarda a concha no bolso e retoma a caminhada. Agora começa a ouvir o murmúrio de vozes e risadas, e, na luz à sua frente, vê as silhuetas de pessoas sentadas em um restaurante ao ar livre. Você começa a sentir o cheiro da comida e percebe que está com fome. A sua boca começa a salivar, então você aperta o passo à medida que os odores e ruídos crescem.

Se você tiver de fato imergido na história, provavelmente conseguiu ouvir as ondas arrebentando, sentir a areia entre os dedos e inalar o perfume das algas. Pode até ser que a sua boca tenha salivado no final. Tudo isso sem de nunca ter passado por uma experiência exatamente igual à que eu descrevi. Como não é possível lembrar, precisa ser construído. Para entender a história, você montou um quebra-cabeça com peças de outras memórias parecidas. Você já segurou uma concha, então sabe qual é o sentimento. Você conhece o cheiro de algas, mas talvez nunca tenha caminhado em uma praia ao pôr do sol e não disponha dessa memória, então criou-a a partir de imagens que viu, histórias de outras pessoas, cenas de filmes e outras impressões que ajudaram a recriar a experiência. De certo modo, você criou uma experiência nova na sua mente que se tornou tão real como se a tivesse vivenciado de fato. Estamos sempre usando as nossas impressões sensoriais desse modo ao pensar. Às vezes fazemos isso na nossa mente, internamente, como você acabou de fazer ao percorrer a história. Em outras ocasiões, usamos as nossas impressões sensoriais externamente, como fazemos ao perceber o mundo ao redor. Estamos alternando continuamente entre usar os nossos sentidos internamente (na nossa mente) e externamente (ao vivenciar o ambiente que nos cerca). Quanto mais nos concentramos no que alguém está nos dizendo ou no conteúdo de um texto que estamos lendo, mais ficamos voltados para dentro de nós mesmos. Por exemplo, neste exato momento você não tem ideia de como está o seu dedão do pé esquerdo.

Quero dizer, até ser lembrado dele, tendo automaticamente se afastado. E para se certificar. Dedão? Sim, eu lembro! Eu tenho um!

O nosso cérebro não distingue muito bem entre o uso interno e externo dos nossos sentidos, e mais ou menos as mesmas áreas do cérebro são ativadas nos dois casos.

Exercício azedo ou uma alucinação barata

Imagine que está segurando um limão descascado. Sinta o seu peso e suavidade na mão. Está um pouco grudento por causa do suco. Dá para sentir o aroma forte do suco. Agora, imagine-se dando uma boa mordida em uma das metades do limão. Imagine o suco azedo enchendo a sua boca e escorrendo pela garganta.

Se você realmente imaginou, terá sentido uma reação física: a sua boca terá se contraído e a produção de saliva terá aumentado. E tudo o que você fez foi usar a imaginação e uma impressão sensorial interna.

O seu cérebro reagiu, enviando os mesmos sinais para o corpo (no caso, a boca) como teria feito se a impressão sensorial tivesse sido externa, ou seja, como se você tivesse de fato mordido um limão.

Eis uma questão interessante a ponderar: se o nosso cérebro tem tanta dificuldade para separar situações imaginárias de experiências reais do mundo, como saberemos o que é real e o que é alucinação? E existe alguma diferença? Vale a pena refletir.

Preferimos tipos diferentes de impressões sensoriais

A minha ideia é que as nossas impressões sensoriais são uma parte importante do conteúdo dos nossos pensamentos. Também preferimos certas impressões sensoriais. As preferências variam de pessoa para pessoa, mas muita gente prefere impressões visuais para pensar (internamente) ou experimentar (externamente) o mundo. Outros preferem estímulos auditivos. Um terceiro grupo prefere impressões cinestésicas, ou seja, todas as impressões físicas, como texturas, temperaturas etc. Os elementos internos que correspondem às impressões sensoriais cinestésicas são as nossas emoções. Pessoas muito emotivas pertencem a esse grupo. ("Como se sente?" pode se referir ao seu estado emocional tanto quanto a um tornozelo torcido.) Um número menor de pessoas prefere estímulos de paladar e olfato. Para fins práticos, elas costumam ser agrupadas com os cinestésicos, porém.

Finalmente, há um grupo de pessoas no mundo que ao pensar não prefere nenhuma das impressões sensoriais mencionadas. Elas usam a dedução e os princípios lógicos, e gostam de deliberar com cuidado, até mesmo debatendo consigo mesmas. Costumam ser chamadas de pensadoras binárias ou digitais, já que, para elas, tudo se divide em certo ou errado, sim ou não, preto ou branco. Raramente existe meio-termo. Eu me refiro a essas pessoas como neutras, uma vez que não dependem de estímulos externos como os grupos visual, auditivo ou cinestésico.

É claro que todos nós usamos todas essas impressões sensoriais, mas em graus maiores ou menores. Um dos nossos sentidos é dominante, então nós o usamos na maior parte das vezes. Os outros são usados para verificar se alguma informação fornecida pelo nosso sentido dominante ou primário é correta. Também variamos na forma como priorizamos os nossos sentidos e no peso que damos a eles. Algumas pessoas são extremamente visuais, por exemplo, pautando-se quase inteiramente nesse tipo de experiência, quase não usando os outros sentidos. Outros são principalmente auditivos, mas usam as impressões visuais quase com a mesma intensidade. Há também os que são principalmente visuais, mas usam as memórias, primeiro as emotivas e depois as auditivas, para embasar e verificar as experiências visuais. E por aí vai.

Sentidos diferentes tendem a resultar em modos diferentes de pensar

É interessante saber isso. Dependendo de qual impressão sensorial prefiramos, compreendemos o mundo de uma certa perspectiva, que pode diferir do modo pelo qual os outros compreendem o mundo. Consideramos coisas diferentes importantes e nos comunicamos de formas diferentes, dependendo de quais impressões sensoriais usamos para interpretar o mundo ao redor. Se você souber um jeito fácil de descobrir quais impressões sensoriais alguém prefere, também conseguirá entender consideravelmente como essa pessoa pensa, como prefere se comunicar e o que é importante ou desinteressante para ela. Ter esse tipo de conhecimento sobre os outros melhorará imensamente a sua capacidade de ler mentes, sem falar nas suas habilidades empáticas. Agora mostrarei o caminho das pedras.

Olhando ao redor

Movimentos dos olhos e impressões sensoriais

Na neurociência, já se sabe que, ao pensar, ativamos partes diferentes do cérebro e, dependendo de qual parte estiver sendo ativada, os movimentos dos nossos olhos serão de um jeito. Essa conexão chama-se Lateral Eye Moviment (LEM), ou Movimento Ocular Lateral. No fim da década de 1970, o estudante de psicologia Richard Bandler e o linguista John Grinder formularam uma teoria para algo que chamaram de Eye Accessing Cues (EAC) ou Sinais para Acesso Ocular, em português. Eles já haviam entendido que as impressões sensoriais eram muito importantes para os nossos processos de pensamento, e então concluíram que é possível afirmar quais impressões sensoriais são ativadas pela observação dos movimentos oculares.

O modelo EAC é assim:

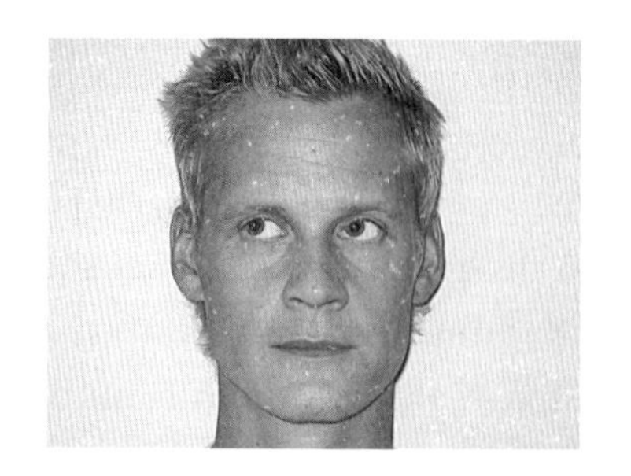

Construindo a imagem

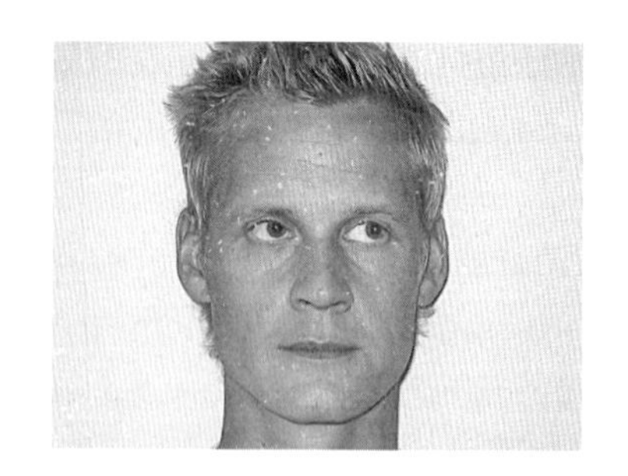

Lembrando a imagem

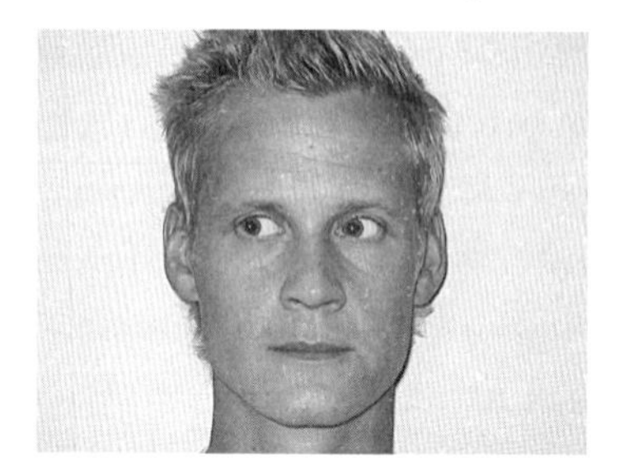

Construindo o som

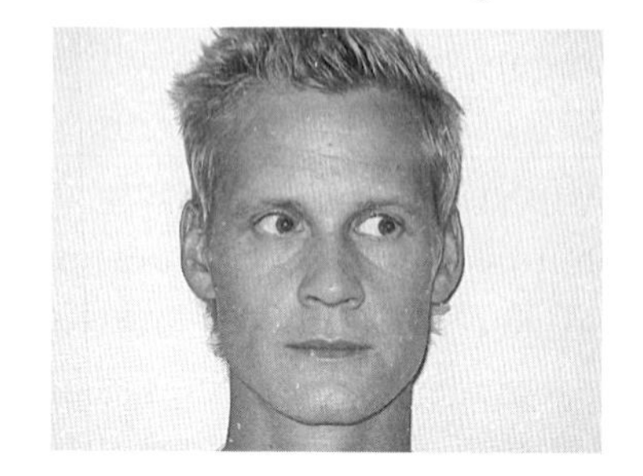

Lembrando o som

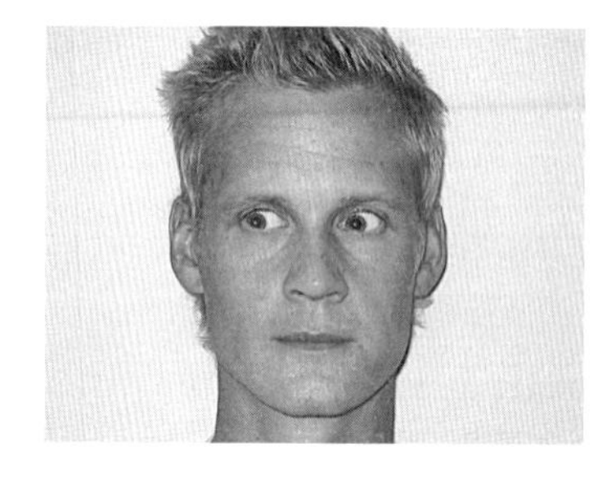

Sentimento e tato (cinestésico)

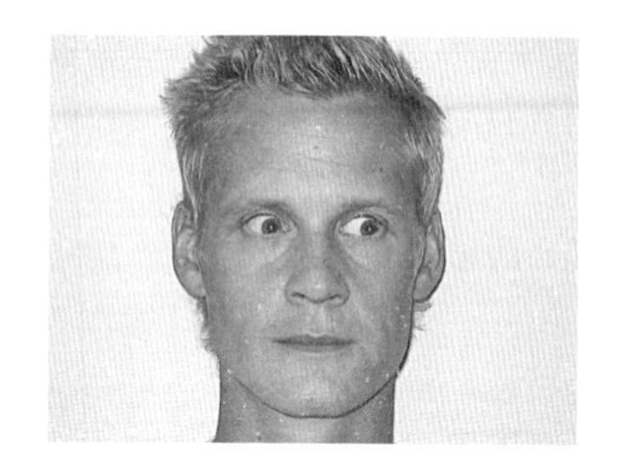

Falando consigo mesmo, neutro

Esse modelo se aplica à maioria dos indivíduos, mas há exceções, como as pessoas que são imagens de espelho dele. Aqueles que não seguem esse sistema sempre terão o seu próprio modelo, contudo, e é muito fácil descobrir com a ajuda de algumas perguntas de controle. Falarei mais a respeito adiante. Observe que estou usando a palavra "modelo" aqui porque se trata, necessariamente, de uma simplificação e generalização. Se, depois de algumas perguntas de controle, você perceber que a pessoa com quem estiver conversando não parece seguir o modelo, não o use. Lembre-se das palavras de Erickson: se não funcionar, faça outra coisa. Apesar disso, o modelo EAC é muito útil na maioria das vezes (e a questão de estar ou não de fato correto fica à parte, não nos interessando agora, contanto que o modelo funcione). Realmente parece existir sentido naquele ditado antigo sobre os olhos serem as janelas da alma. Ou as janelas da mente, pelo menos.

O que o modelo diz, então, é: as pessoas que pensam em imagens olham para cima e para a esquerda quando estão lembrando, e para cima e para a direita quando estão construindo imagens novas na mente. Um exemplo de um pensamento novo, construído e baseado em uma imagem, seria imaginar o quadro de *Mona Lisa* pintado por uma criança de 5 anos. O olhar para pensamentos auditivos é direto para os lados; para a esquerda, no caso de memórias (quando você está pensando sobre o que alguém disse a você), para a direita, no caso de pensamentos novos (quando você imagina o que gostaria que alguém dissesse a você). Sensações físicas e emoções localizam-se para baixo e para a direita. Infelizmente, não há separação entre memória e construção nesses tipos de experiências. Quando aqueles que pensam (pessoas neutras ou digitais) falam consigo mesmos para resolver problemas lógicos, olham para baixo e para a esquerda.

Se perguntar a uma amiga como foram as suas férias e ela primeiro olhar para cima e para a esquerda, e depois rapidamente para baixo e para a direita, você saberá que ela primeiro está lembrando *como pareceu* e depois confirmando essa lembrança ao lembrar *como se sentiu*.

Kevin Hogan, especialista americano em linguagem corporal, recentemente expressou suas dúvidas sobre o modelo EAC, apesar da sua reputação de trinta anos. Em um estudo, ele chegou à conclusão de que o modelo não se baseia em como os movimentos dos nossos olhos de fato são usados. Pessoalmente, tudo o que posso fazer é julgar o modelo com base nas minhas próprias experiências de uso, que foram mais do que satisfatórias. Hogan pode estar certo. Não importaria, de qualquer maneira. Como expliquei no início do livro, não precisamos nos preocupar tanto com o que de fato é verdade em algum aspecto ou outro. Tudo o que nos preocupa é o que funciona.

O teste Da Vinci (Exercício)

Teste o modelo EAC e descubra se funciona. Pode ser agora. Fixe os olhos em um ponto para cima e para a esquerda, tentando visualizar a famosa pintura de *Mona Lisa*. Você a viu muitas vezes, mesmo nunca tendo dedicado uma atenção especial. Tente incluir o máximo possível de detalhes: o rosto, as roupas, cores, detalhes de fundo etc. Faça isso durante vinte ou trinta segundos. Conseguiu? Muito bem. Apague a imagem da sua mente. agora fixe os olhos para baixo e para a direita e faça o mesmo. Tente imaginar a *Mona Lisa*.
Como você acabou de fazer isso, não deveria haver nenhuma dificuldade para visualizar de novo, porém é muito mais difícil desta vez, não é? Isso acontece porque a parte visual do seu cérebro não está sendo ativada também. Em outras palavras: não guardamos imagens para baixo e para a direita, e sim para cima e para a esquerda.

Perguntas de controle

Para saber se o modelo EAC realmente se aplica a alguém, você pode fazer perguntas de controle para provocar na pessoa pensamentos sobre impressões sensoriais específicas, e depois olhar para os olhos dela enquanto ela responde. Veja alguns exemplos de perguntas de controle:

Memória visual
Como é o carpete da sua sala?
Qual é a cor do seu carro?
Descreva a aparência do seu melhor amigo.
Construção visual
Como você ficaria com cabelo longo/curto?
Imagine a sua casa pintada com listras.
Como você escreveria o seu nome de cabeça para baixo?

Memória auditiva
Como começa a sua música favorita?
Imagine o som do seu despertador tocando.
Você se lembra exatamente do que ela disse antes de sair?
Construção auditiva
Você consegue imaginar a voz de Barack Obama após ingerir hélio?
Que tipos de vozes você acha que o Gordo e o Magro tinham?
Como ficaria a voz de Bruce Springsteen embaixo d'água?
Memória cinestésica
Você lembra se fez calor no último verão?
Qual é o cheiro de meias velhas?
Imagine-se comendo um limão...
Falando consigo mesmo (diálogo interno)
Pergunte a si mesmo se costuma falar sozinho.
O que você diz quando está sozinho e algo dá errado?

Fala e compreensão

Como os nossos sentidos afetam a nossa linguagem

Outro jeito de descobrir quais tipos de impressões sensoriais alguém prefere é prestar atenção ao modo como ele fala. A fala é cheia de predicados, palavras que descrevem ações, e metáforas, imagens e símiles que usamos para descrever as coisas. O tipo de impressão sensorial que preferimos determina quais tipos de palavras e frases usamos ao falar.

Palavras visuais

Uma pessoa visual usa palavras que fazem sentido em contextos visuais. Ela prefere palavras como:

> *Olhar, focar, imaginar, retratar,* insight, *brilhante, visualizar, perspectiva, ver, prever, esclarecer, ilustrar, revelar, ilusão, mostrar, visão, luz.*

Usa expressões como:

Preciso olhar mais de perto.
Vejo o que você quer dizer.
Quero ver você.
Mostre-me o que você quer dizer.
Daqui a dez anos você vai olhar para trás e rir.
O futuro parece brilhante.
Ela é uma pessoa colorida.
Sem sombra de dúvida.
Isso matizou as suas opiniões.
Foi de repente, como o clarão de um relâmpago no céu azul.

Palavras auditivas

Uma pessoa auditiva usa palavras diferentes que soem verdadeiras para ela:

Dizer, ênfase, ritmo, alto, tom, monótono, surdo, soar, perguntar, falar, discutir, comentar, audível, ouvir, mudo, gritar, dissonante, voz, harmonioso.

E diz frases assim:

Ouça o que eu tenho a dizer.
Ele vocifera as próprias opiniões.
Que cor gritante!
Estamos na mesma frequência.
Vivendo em harmonia com a natureza.
Soa familiar.
Palavra por palavra.
Nunca ouvi nada parecido.
Acho que falo por todos nós.
Por assim dizer.

Palavras cinestésicas

Uma pessoa cinestésica (na maioria das vezes alguém orientado pelo tato ou pelas emoções, mas, neste contexto, também aqueles cujo sentido primário é o paladar ou o olfato) sente-se mais à vontade usando termos como:

> *Tocar, manusear, pressionar, apertado, quente, frio, contato, tensão, pressão, sólido, ferida, segurar, captar, tangível, pesado, leve, plano, duro, azedo, suculento.*

E enfatizará expressões como:

> *Sentir o gostinho.*
> *Não cheira bem.*
> *Vamos esbarrar em algo novo?*
> *Até que enfim entrou na sua cabeça!*
> *Entre a cruz e a espada.*
> *Senti no corpo todo.*
> *Fizemos pouco mais que arranhar a superfície.*
> *Não consigo concretizar a minha ideia.*
> *É uma personalidade frágil.*
> *Um bom alicerce de trabalho.*
> *Ela é doce.*

Palavras neutras

Finalmente, as pessoas neutras, que preferem o diálogo interno com palavras que não se relacionem aos sentidos, apreciam:

> *Decidir, determinar, pensar, lembrar, saber, notar, entender, estimar, alertar, processar, motivar, aprender, mudar, consciência, capacidade, estatisticamente, logicamente.*

Resumindo, podemos dizer que essas pessoas falam mais ou menos como acadêmicos.

A ironia é que, no esforço de evitar ser mal interpretado, quem é neutro fica aberto a interpretações. Como os ouvintes em geral escutam do ponto de vista de uma impressão sensorial diferente, têm a liberdade de interpretar a mensagem, de alguma forma alterando a mensagem original. Ao evitar o uso de palavras associadas a impressões sensoriais, os "neutros" também tendem a tornar a sua fala muito mais difícil de entender, já que ela se torna mais abstrata sem as palavras sensoriais. Afinal de contas, usamos as palavras sensoriais para facilitar a compreensão, comparando as coisas a algo com o qual tenhamos uma relação direta, como ver, sentir ou ouvir.

Como você já deve estar desconfiando, o nosso sentido primário afeta não somente as nossas práticas linguísticas, como também o que será alvo da nossa atenção e parecerá importante para nós. Se uma pessoa visual, uma pessoa auditiva e uma pessoa cinestésica fossem a um concerto juntas, e perguntássemos qual foi a opinião de cada uma a conversa seria algo assim:

"Produziram arranjos novos para todas as músicas, muito interessante. A amplificação do som estava ótima, mas não precisava ser tão alto!"

"Não deu para ver muita coisa, mas foi um grande *show*. O final foi incrivelmente brilhante."

"Eu achei muito cheio e quente, mas foi uma experiência que me impactou."

Você consegue adivinhar quem é quem?

(Ao responder por que não pôde ir também, o amigo neutro murmura: "Eu me pergunto a mesma coisa.")

Os nossos sentidos determinam quem somos

Até mesmo coisas básicas sobre nós mesmos, como a profissão que escolhemos, são afetadas por quais sentidos primários temos. Os arquitetos precisam ser bons na visualização de modelos tridimensionais complexos. Para tanto, precisam de um sentido visual bem desenvolvido. Praticamente todos que trabalham no rádio são pessoas auditivas. Um bom atleta precisa ser cinestésico para ter o tipo certo de consciência do próprio corpo. Pessoas neutras ou internas dão bons advogados. Os estudos referentes às profissões que as pessoas escolhem mostram que não se trata de mera teoria, e sim de um fato.

Coisas e experiências completamente diferentes podem ser importantes na vida de uma pessoa visual, ao contrário de uma pessoa cinestésica ou auditiva. O conhecimento do sentido primário da pessoa com quem você se comunica pode ser usado para adaptar o que se diz a ela. Descubra que tipo de impressões sensoriais ela prefere e use as palavras que ela usa. Uma pessoa visual deve ser questionada se *viu* as vantagens, alguém auditivo precisa *ouvir* todos os benefícios e uma pessoa cinestésica precisa saber se ela *se sente* bem. Use metáforas e descrições do mesmo modo e assegure-se de falar sobre os tipos de coisas que você sabe que são importantes para ela. Em outras palavras, as coisas que ela foca, ouve e intensifica. Com uma pessoa visual, você deve falar em imagens, pintando quadros de futuros brilhantes, como focar na sua visão e não perder a perspectiva. É inútil dizer a uma pessoa visual que ela precisa construir um alicerce sólido para evitar futuras armadilhas. Essas palavras são cinestésicas e ela não entenderá o que você quer dizer. Tenho certeza de que você já passou por uma situação em que discute com alguém que de fato parece dizer a mesma coisa que você, e mesmo assim os dois não chegam a um acordo. Costuma ser assim:

Ela: "Mas você não vê o que eu quero dizer?"

Você: "Sim, eu estou ouvindo, mas não entendo o seu argumento."

Vocês simplesmente estão falando línguas diferentes. Mas você pode adaptar a sua fala ao modo pelo qual a pessoa entende, pensa e comunica-se com o mundo:

Ela: "Mas você não vê o que eu quero dizer?"

Você: "Tudo bem, vou dar uma olhada com bastante atenção."

Empatia e grupos de pessoas

Empatia com várias pessoas ao mesmo tempo

Se estiver se comunicando com várias pessoas ao mesmo tempo, em uma reunião, por exemplo, é preciso ter certeza de que você está usando todas as impressões sensoriais possíveis na sua comunicação.

Suponhamos que você esteja fazendo uma apresentação. Além de discorrer sobre o seu tópico (para os auditivos), não deixe de usar um bloco de anotações ou uma apresentação em *PowerPoint* (para os visuais) e distribuir folhetos (para os cinestésicos segurarem). Assim você maximizará o potencial de compreensão de todos. Também verifique se as expressões que escolher alternam os vários tipos de palavras sensoriais. Examine os seus pontos mais importantes e redija um roteiro antes. Se você se limitar a se expressar como de costume, boa parte do público — aqueles que não têm o mesmo sentido primário que você — terá dificuldade para entender o que você está tentando transmitir. Quando tiver algo importante a dizer, diga quatro vezes, uma para cada grupo de impressões sensoriais:

"Espero que consigam *ver* como é importante *focar* nisso, para vocês *ouvirem* o que *digo* e que *consigam sentir o peso* dos meus argumentos. E para que isso seja a base de uma *escolha racional*".

> Um dos erros mais comuns que cometemos na comunicação é interpretar a falta de retorno expressivo como resistência à nossa mensagem quando, em geral, é o resultado da nossa própria falha em comunicar a ideia de modo que os ouvintes consigam entender.

Sentidos dominantes

Como descobrir o sentido dominante de alguém

Às vezes pode ser difícil identificar o sentido primário de alguém através do modelo EAC ou prestando atenção às palavras. As pessoas com sentidos mais próximos usarão os vários tipos de palavras mais ou menos com a mesma intensidade. E sempre há aquelas pessoas que são simplesmente difíceis de decodificar.

Faça perguntas abertas

Você pode simplesmente chegar e perguntar: "Como gostaria que eu apresentasse isto para você?" Em geral as pessoas são conscientes o bastante das próprias preferências para dar uma resposta útil a essa pergunta. Algumas pedirão que você diga o que deseja falar. Outras pedirão para você escrever e apresenta alguns diagramas ou figuras para olhar. Outras, ainda, dirão que o mais importante para elas é ter uma sensação boa sobre a situação para que possam confiar em você.

Você também pode usar o velho truque do vendedor de carros, fazendo perguntas de controle e ouvindo as respostas. Comece perguntando: "Parece bom para você?" Se não obtiver uma resposta significativa, mude para: "Que aspectos disto você discutiu antes?" ou "Eu gostaria de saber como você se sente sobre isto". Preste atenção a que tipo de pergunta funciona melhor e então continue a usar esses tipos de palavras e expressões.

Atributos físicos

Certos atributos físicos estão ligados aos estímulos sensoriais favoritos. Quero deixar algo bem claro: o que você está prestes a ler inclui algumas generalizações muito amplas. Esses atributos são mais aparentes em pessoas com sentidos primários extremamente dominantes, mas também funcionam muito bem como modelo para uma primeira impressão rudimentar de alguém antes de se ter tempo para observá-lo mais de perto.

Pessoas fortemente *visuais* preocupam-se muito com a aparência das coisas — especialmente a aparência de si próprias. Observam muito as cores, formatos e iluminação. Uma pessoa muito visual tem um ritmo rápido. Como as imagens surgem com mais velocidade do que as palavras, ela precisa falar rápido para acompanhar o ritmo, e em geral faz isso com uma voz límpida e razoavelmente forte. O ritmo acelerado da fala, por sua vez, provocará uma respiração mais acelerada, no alto do peito, já que ela nunca tem tempo para descansar adequadamente. A linguagem corporal acompanhará as palavras, sendo veloz e irregular. Como a memória visual é ativada ao olhar um pouco para cima, é comum encontrar os olhos da pessoa visual nessa posição, embora ela costume ter o cuidado de manter contato visual com a pessoa com quem conversa.

Crianças visuais tentando achar a resposta de alguma pergunta na escola costumam ouvir dos professores: "A resposta não está escrita no teto!" É claro que isso impede que elas consigam responder a pergunta, já que passam a olhar para a frente.

Uma pessoa extremamente *tonal* ou *auditiva* pensa no mesmo ritmo em que fala, o que significa que ela tem um ritmo mais lento do que alguém visual. Ela se move com foco, mas de modo relaxado, e os gestos, em geral, serão produzidos próximos à região do tronco. Por usar memórias auditivas ao pensar, também será facilmente distraída por ruídos. Se você começar a conversar com uma pessoa tonal que esteja tentando entender algo, ela provavelmente perderá o fio da meada. Como eu, por exemplo. Se alguém falar comigo enquanto eu estiver medindo as colheradas de pó de café, com certeza estragará o cafezinho da tarde. Uma pessoa auditiva costuma inclinar a cabeça enquanto pensa, como se estivesse ouvindo algo. Respira com o diafragma e fala melodicamente, com voz rítmica e variada.

Uma pessoa fortemente *cinestésica* é muito ciente de como está se sentindo, tanto por dentro quanto por fora. Os tipos de coisas às quais um cinestésico presta atenção são o sol ofuscando os olhos, o assento muito duro e o conforto da sua jaqueta. Ou que está um pouco quente, mas, em geral, sente-se bem. Uma pessoa muito cinestésica tem um ritmo lento. Antes de dizer qualquer coisa, precisa ter certeza de que se sente bem. Fala devagar, com suavidade e profundidade, ou com voz aguda e fina. A sua linguagem corporal em geral é mínima e, quando acontecer, será lenta, girando ao redor da área do estômago. O cinestésico respira com o estômago, a forma que é realmente original para todos nós. O contato ocular não é tão importante ao conversar, mas o toque é. O arquétipo de um cinestésico seria o Papai Noel, um homem obeso com uma barba e roupas espessas. Ou as "mãezonas", sempre rodeadas de pessoas.

Não foram encontradas características correspondentes para os indivíduos *neutros* ou *de raciocínio interno*. Muitas pessoas neutras parecem cinestésicas, mas não são. Existe uma teoria que tenta explicar essa ligação. A ideia é: como os nossos sentidos cinestésicos, ou seja, corporais e emocionais, são alguns dos primeiros que desenvolvemos, e o pensamento abstrato (o sentido neutro) surge muito tempo depois, algumas pessoas neutras podem ter sido cinestésicas em princípio. Um trauma emocional durante os primeiros anos de vida teria causado o bloqueio das emoções, ocultando-as atrás de um muro de raciocínio abstrato e estritamente lógico. Até onde sei, essa teoria ainda não foi provada.

Observe o ritmo

O que a seção anterior quer dizer, em suma, é que, simplesmente prestando atenção ao ritmo da fala e linguagem corporal, é possível obter uma indicação de qual é o sentido primário, provavelmente até mesmo antes de se ter a chance de acompanhar o olhar ou ouvir palavras específicas. O oposto também se aplica. Se você souber qual é o sentido primário, terá uma boa ideia do ritmo que a pessoa adotará na respiração, fala e movimentos. Uma pessoa visual tem um ritmo rápido; um cinestésico é lento e um auditivo é meio-termo. Saber isso também significa que você sabe o que fazer. Depois de um pouco de prática, você também conseguirá seguir os movimentos oculares da outra pessoa enquanto ela pensa. Se os olhos de alguém visual estiverem apontados para cima e para a direita ao descrever algo para você, você pode espelhar o processo de pensamento dele e mover os seus olhos do mesmo modo. Isso dará a você a sensação de estar vendo a mesma imagem que ele. Da mesma maneira, você pode ouvir os mesmos sons ou tentar sentir a mesma coisa que a pessoa estiver ouvindo ou sentindo. Não prestamos uma atenção consciente a isso, mas fica registrado inconscientemente e fortalece o sentido de entrosamento e empatia.

Se conseguir entender qual tipo de impressão sensorial a outra pessoa prefere, entenderá o que ela está tentando dizer para você. Adaptando a sua escolha de palavras ao modo pelo qual a pessoa pensa e percebe o mundo, você pode se expressar sem nenhum perigo de ser mal compreendido. Sobretudo, você vai se expressar como ela e falar sobre os tipos de coisas que ela julga importante. Isso mostra a ela que vocês pensam do mesmo modo, além disso, propicia a você um *insight* fantástico e íntimo sobre o funcionamento dos processos mentais dela.

Eu lhe disse para acompanhar o comportamento externo, como a linguagem corporal, tom da voz, ritmo e níveis de energia, para estabelecer a empatia. Com o seu novo conhecimento sobre os sentidos dominantes e o modelo EAC, você pode até mesmo se adaptar ao modo pelo qual a outra pessoa pensa. Talvez você ache que esse é o máximo que um bom leitor de mentes pode ser. Mas não para por aqui: existe outra coisa que afeta os nossos processos mentais — as nossas emoções. O nosso estado emocional do momento exerce impacto sobre o que pensamos e também determina o modo pelo qual interpretamos as nossas experiências, como os nossos encontros com outras pessoas, por exemplo. Felizmente, da mesma maneira que acontece com a linguagem corporal e os sentidos primários, também podemos observar o que os outros estão sentindo, até mesmo quando eles se esforçam ao máximo para esconder. No próximo capítulo ensinarei como fazer isso, o que diferentes expressões emocionais significam e o que fazer ao identificá-las.

Capítulo 5

Aqui as emoções serão desromantizadas, seremos atacados por um tigre e estudaremos atentamente uma miríade de movimentos musculares.

EMOÇÕES

Como sempre revelamos as nossas emoções

As nossas emoções são uma parte importante de quem somos. Costumamos permitir que elas controlem as nossas decisões e ações. Ou seja, nem sempre fazemos as coisas porque devemos; em alguns momentos somos levados pelas nossas emoções (ou pelo menos é assim que racionalizamos o nosso comportamento depois do fato). Às vezes nem estamos conscientes das emoções que estamos sentindo. Porém, e felizmente para nós, leitores de mentes, os seres humanos sempre revelam as próprias emoções, mesmo que não queiram ou desejem ocultá-las. A compreensão de como os outros filtram ou interpretam as próprias experiências e impressões compõe uma grande parte da leitura da mente. Os sentidos dominantes são algumas das chaves necessárias para desvendar esses segredos. Ser capaz de ver qual é o estado emocional da outra pessoa é mais uma parte importante da charada.

De novo, com sentimento!

O que é exatamente uma emoção?

> *Todos sabem o que é uma emoção até serem solicitados a defini-la.*
>
> Beverly Fehr e James Russel

Antes de estudar as verdadeiras expressões faciais envolvidas, acho que seria bom esclarecer o conceito de *emoções* primeiro. O que é exatamente uma emoção? Foram sugeridas muitas teorias sobre as nossas emoções e a sua origem. O que foi estabelecido é que todas as pessoas têm as mesmas emoções básicas, que são deflagradas pelas mesmas coisas.

Emoções como mecanismo de sobrevivência

A causa mais comum de uma emoção é um sentimento ou uma crença de que a nossa segurança pessoal ou o nosso bem-estar geral está sendo ameaçado. Uma famosa teoria supõe que a sua origem se caracteriza por mecanismos de sobrevivência biológicos, que são atalhos que se sobrepõem a deliberações racionais em situações em que não há tempo suficiente para entender as coisas de maneira adequada. Em certas situações, precisamos ser capazes de reagir de imediato, automaticamente, apenas para sobreviver. Se você fosse um homem da idade da pedra e precisasse efetuar uma análise intencional de todas as implicações de um tigre enorme pronto para "dar o bote", além de considerar as suas diferentes opções para se livrar da situação, você viraria comida de tigre. A ideia é que estamos sempre, inconscientemente, rastreando o ambiente em busca de certos eventos e sinais. Se um sinal específico for observado, isso deflagra uma emoção que está conectada a esse sinal. Uma mensagem é transmitida ao sistema nervoso autônomo para ativar certos processos, enquanto a mesma mensagem é transmitida à nossa mente consciente para que sejamos informados sobre o que está para acontecer. Se estiver interessado, veja como acontece em mais detalhes:

Há dois caminhos que as informações emocionais podem seguir no cérebro. Ambos começam no mesmo ponto: os nossos receptores receberam um sinal e o enviaram a uma parte do cérebro chamada "tálamo". A partir daí, o sinal é transmitido para a amídala, que é uma parte pequena do cérebro, em formato de amêndoa, considerada envolvida nas reações emocionais. A amídala está ligada às partes do cérebro que controlam o pulso, a pressão arterial e outras reações no sistema nervoso autônomo. Entretanto, há caminhos diferentes que podem ser percorridos para chegar à amídala. Um deles é uma via expressa que vai diretamente para ela, causando uma reação imediata que aciona o sistema nervoso autônomo, mas sem nenhuma ideia real daquilo a que está realmente reagindo. O outro caminho percorre áreas mais densamente povoadas e é um pouco mais lento. Primeiro, ele vai até a parte do cérebro que tem a ver com a atenção e o pensamento (o córtex cerebral) antes de ir para a amídala. Isso demora mais, mas nos dá uma ideia melhor do que significa o sinal.

Em termos puramente práticos, isso significa que, se algo grande vier rugindo em nossa direção, em alta velocidade, ele constituirá um estímulo que deflagrará a emoção *medo*. Medo significa, entre outras coisas, que o pulso fica elevado e que o sangue é bombeado em direção aos músculos grandes das nossas pernas para nos preparar para a fuga, se necessário. Como o corpo reage antes da mente, você terá manobrado defensivamente, saindo com o carro da estrada, antes de ter tempo de pensar "Droga! Aquele caminhão está do lado errado da estrada!" Ou talvez você se dê conta de que se assustou com uma sombra e agora está com lama até a cintura sem um bom motivo.

O seu corpo levará mais tempo para voltar ao estado normal do que os seus pensamentos. Isso significa que, apesar de o perigo ter sido evitado, o seu coração continuará acelerado, a boca continuará seca por um tempo, seja isso necessário ou não.

Em outras palavras, as emoções começaram como um sistema automático para nos livrar de situações ameaçadoras. Elas provocam mudanças necessárias em partes diferentes do nosso cérebro e afetam o nosso sistema nervoso autônomo, que, por sua vez, regula funções como respiração, suor e batimentos cardíacos. Mas as emoções também alteram as nossas expressões faciais, a nossa voz e a nossa linguagem corporal.

> As emoções começaram como mecanismos automáticos para acionar o sistema nervoso autônomo sem que precisássemos primeiro pensar sobre o que está acontecendo. Assim, elas auxiliaram a nossa sobrevivência e subsequente evolução até nos tornarmos bípedes lentos, melindrosos e míopes.

Não somos emotivos o tempo todo. Emoções vêm e vão, às vezes uma substituindo a outra. Algumas pessoas são mais emotivas do que outras, mas até mesmo elas passam por períodos em que não estão tomadas por nenhuma emoção em especial. Existe uma diferença entre emoção e humor. A emoção é mais curta e mais intensa, enquanto o humor pode durar uma vida inteira e serve como "pano de fundo" para as suas emoções.

Antigamente as emoções eram consideradas insignificantes do ponto de vista psicológico. Darwin concluiu que muitas das nossas expressões emocionais não ocupam mais nenhuma função, já que ainda são usadas do mesmo modo como acontecia quando pulávamos de galho em galho. Simplesmente são resquícios de uma era em que os humanos eram seres mais primitivos. Muitos concordaram que as emoções passariam a ser menos importantes com o passar do tempo, finalmente desaparecendo à medida que os humanos se desenvolvessem. Que tédio, hein? Felizmente, os cientistas contemporâneos discordam. Hoje entendemos que as nossas emoções de fato são protagonistas da vida humana, pois são elas que unem todas as coisas que julgamos importantes sobre as outras pessoas, eventos e o mundo.

Quando temos uma emoção, dizemos que "sentimos" algo. O que de fato estamos "sentindo" são as reações físicas deflagradas que estão ocorrendo dentro de nós. Algumas das mudanças causam tensão e são desagradáveis, especialmente aquelas que exijam grande esforço corporal. Outras mudanças são muito mais agradáveis. São o que consideraríamos emoções positivas, mas a experiência a que nos referimos ao dizer que "sentimos" alegria ou raiva de fato é a nossa experiência das reações biológicas automáticas que ocorrem dentro de nós. Pode soar meio árido ou pouco romântico e lamento se desmistifiquei outra expressão vaga. Primeiro "leitura da mente" e agora "emoções". Mas, se você pensar bem, a importância delas não fica de modo algum reduzida. As emoções (e a leitura da mente também!) continuam sendo fantásticas e espantosas porque, mesmo sabendo agora por que o seu corpo lateja sempre que você olha para um amigo especial, o que não passa de um efeito colateral de uma reação biológica automática, isso não muda o fato de que você de fato *sente* esse latejar quente e maravilhoso em todas as partes do corpo!

Outros gatilhos emocionais

É claro que não estamos lutando para sobreviver todas as vezes em que temos uma emoção. As nossas emoções desenvolveram-se com o tempo, aumentaram e tornaram-se mais sofisticadas. Nem todas as emoções são universais, algumas somente são partilhadas com pessoas da mesma cultura. As emoções também podem ser disparadas de outros modos além daqueles puramente automáticos. Em geral, nove modos diferentes de deflagrar uma emoção são mencionados:

Cuidado! Tigre à vista!!!

O modo mais comum é uma emoção ser acionada depois que o sinal correto é detectado ao redor. O problema é que não temos tempo para refletir se a emoção é uma reação apropriada ou não. Poderíamos estar enganados, afinal de contas. Talvez o tigre não passasse de uma rocha. E queimamos o nosso cartucho inteiro.

Por que ela fez aquilo?

Podemos deflagrar as emoções pensando no que está acontecendo. Ao entender, entramos em sintonia com o nosso banco de dados emocional, e o processo automático entra em operação. Haverá menos erros, mas o processo é mais demorado. (Ah, então era um tigre! Bem que eu desconfiei. Hum, ele está comendo a minha perna.)

Você se lembra de quando se apaixonou pela primeira vez?

Podemos ficar emotivos ao lembrar situações em que tivemos emoções fortes. Ou começamos a nos sentir como nos sentimos naquele momento ou a sentir emoções novas como uma reação ao que sentimos naquele momento. Podemos ficar decepcionados agora com a nossa raiva da época. Isso se chama âncora, falaremos mais a respeito adiante.

Não seria bom se...

A nossa imaginação nos permite criar pensamentos ou cenas imaginárias que podem despertar emoções. É muito fácil imaginar como seria se você, por exemplo, estivesse ridiculamente apaixonado. Tente você mesmo. Quando você se sente de um jeito que... que... (Já está sentindo alguma coisa?)

Prefiro não falar sobre isso para não me chatear de novo.

Às vezes, basta falar sobre como estávamos irritados para ficarmos irritados de novo. Falar sobre experiências emocionais que você teve no passado pode trazer de volta as emoções, mesmo se você não as quiser que elas retornem.

HAHAHAHAHA!!!

É sempre mais engraçado assistir a uma comédia com alguém que ria do que com alguém cabisbaixo. É possível ter emoções através da empatia, quando vemos alguém experimentar uma emoção e ela nos contagia, causando em nós o mesmo sentimento. A emoção da pessoa pode despertar outras emoções em nós: poderíamos reagir com medo diante da raiva de alguém, por exemplo.

Não, menino teimoso! Não ponha a mão no forno!

As coisas que os pais e outras figuras com autoridade nos dizem para ter medo ou para gostar na infância receberão as mesmas reações de nós quando adultos. As crianças também assumem sentimentos pela imitação, vendo como os adultos reagem em situações diferentes.

Ei, entre na fila também!

As pessoas que transgridem as normas sociais provocam emoções fortes. As normas variam em culturas diferentes, é claro, e deixar de seguir uma delas pode dar margem a tudo, desde nojo até alegria, dependendo de qual for a norma e quem estiver transgredindo-a.

Cabeça erguida!

Como as emoções têm expressões físicas claras, também podemos acionar a experiência interna mental ao usar conscientemente os nossos músculos (especialmente do nosso rosto) da mesma forma como usaríamos *se tivéssemos* a emoção, deflagrando a emoção dentro de nós dessa maneira. Você tentou fazer isso no início do livro, ao tentar ficar bravo, lembra? O exercício de energia que você fez antes também funciona assim, embora envolvesse todo o corpo.

Pare de fazer careta!

As nossas expressões faciais inconscientes

No filme *O grande truque*, a personagem de Rebecca Hall é casada com um mágico, interpretado por Christian Bale. Às vezes ele é sincero ao dizer que a ama, outras vezes ele está mentindo. Um dos temas principais do filme é como ela sempre consegue discernir entre uma situação e outra, olhando nos olhos dele.

Quando não temos certeza do que alguém realmente quer dizer, olhamos a pessoa nos olhos. Aprendemos a fazer isso antes de aprender a andar, embora de fato estejamos olhando mais do que os olhos, independentemente do que acreditamos. O fato é: analisamos todo o rosto de perto. Há mais de quarenta músculos no rosto, muitos dos quais não conseguimos controlar conscientemente, que usamos para expressar informações muito detalhadas sobre nós mesmos. Isso significa que sempre revelamos coisas sobre nós mesmos, até quando estamos tentando não fazer isso. Na verdade, é muito irônico não sermos melhores para ler essas coisas.

Muitas emoçõezinhas

Temos uma habilidade muito boa para discernir quando alguém está feliz ou muito irritado. Mas frequentemente deixamos de perceber as coisas e não notamos que alguém está perturbado até que ele esteja gritando bem na nossa frente. Também confundimos as expressões faciais, chegando a crer que alguém está com medo, quando está apenas surpreso, ou que alguém está irritado, quando está apenas se concentrando em um problema. De nada adianta saber o significado inconsciente de uma mudança no rosto ou na expressão de alguém se isso pode ser usado de forma consciente com outro sentido. Se estou dizendo algo e você ergue as sobrancelhas, pode significar que você deseja me mostrar que está com dúvidas ou está questionando a minha fala. Mas também pode ser uma expressão de surpresa genuína. Um sorriso torto pode ser usado para mostrar que eu entendi que você estava brincando, mas também pode ser uma expressão inconsciente de desprezo. Tudo fica muito confuso ao expressarmos várias coisas ao mesmo tempo com o rosto.

Em geral exibimos duas emoções ao mesmo tempo. Se estivermos surpresos e depois ficarmos alegres ao notar o que era a surpresa, expressaremos surpresa seguida de alegria. Entre as duas, há um estágio em que exibimos tanto a emoção anterior quanto a nova. Pareceremos surpresos e felizes ao mesmo tempo. Ou ao experimentar uma emoção confusa genuína, como a mistura de medo e alegria ao andar em uma montanha-russa. Também costumamos tentar ocultar os nossos verdadeiros sentimentos e demonstrar outra coisa, como estar triste e tentar parecer feliz. Em casos assim, a emoção oculta quase sempre conseguirá se infiltrar, o que significa que estamos exibindo inconscientemente tanto a emoção que estamos tentando esconder quanto a que estamos fingindo sentir. Às vezes usamos as nossas expressões faciais como comentários, não simplesmente sobre o que estamos dizendo, mas sobre as nossas outras expressões faciais! Um exemplo seria estar triste, mas forçar um sorriso para mostrar que ficaremos bem. É de se esperar que acabemos tão confusos.

As emoções nos humanizam

Olhar as pessoas nos olhos do outro é uma boa ideia, como falei. Afinal de contas, são as nossas diversas expressões faciais que revelam a nossa humanidade. Eu não sou o primeiro a destacar que George Lucas usou capacetes de plástico para cobrir os rostos dos integrantes das tropas do império de *Star Wars* para torná-los menos humanos, já que os olhos e os rostos não estavam visíveis. Atualmente temos uma versão mais moderna das tropas do império, de Lucas, graças à popular neurotoxina botox. É algo cada vez mais comum entre pessoas que passaram da meia-idade e que estão injetando alegremente essa substância em si mesmas — mais especificamente, no rosto. O botox causa paralisia local (é uma neurotoxina, afinal), o que suaviza as rugas. Infelizmente também significa que você não poderá mais usar alguns dos seus músculos faciais, já que está paralisado. Ou seja, você não está apenas ficando com a pele de uma boneca Barbie, mas também está adotando a sua gama de expressões faciais.

Certa vez conversei com o gerente de uma loja nos Estados Unidos, que explicou que o botox estava se tornando um verdadeiro problema, pois ele gasta muito tempo negociando. Ele não consegue ler as reações dos clientes às diferentes propostas que apresenta, já que eles não são capazes de produzir nuanças de expressões faciais. O gerente declarou que as conversas com muitos clientes eram inquietantes. Eles parecem artificiais e frios, já que o rosto não muda, estejam eles felizes ou irritados. Pessoalmente, é provável que eu ficasse paranoico depois de algum tempo e esperasse que eles de repente arrancassem o rosto, mostrando que de fato eram lagartos, como os alienígenas daquele seriado *V*. “Eles confiam em mim, Diana. BWAHAHAHAHA!!” Continue comendo camundongos, escória de lagartos! Tenho um movimento de resistência surgindo no depósito...

Uma dica: tente não injetar neurotoxinas no rosto.

Seja como for... Prestando atenção às mudanças no rosto de alguém, podemos receber informações não apenas sobre as suas emoções atuais, mas também sobre as emoções que ele está *prestes a começar* a sentir. O fato é que, como os músculos reagem mais rápido do que a mente (em breve explicarei com mais detalhes), é possível ver qual emoção está começando a surgir em alguém até mesmo antes que ele fique consciente dela. Ou seja, antes que ele comece a "senti-la". Isso é útil se for uma emoção que não seja muito conveniente na situação em questão, uma emoção como raiva ou medo, por exemplo. Se perceber os primeiros sinais de uma emoção assim, você ainda terá a oportunidade de ajudar a pessoa a evitar esse estado. Depois que a emoção tiver tido tempo para entrar em ação, será muito mais difícil, às vezes até impossível, fazer alguma coisa.

O erro de Otelo

Este é o grande problema das emoções: depois de sentir, é muito difícil pensar sem confirmar a emoção. Somos "escravos da paixão", o que nos descreve muito bem. As nossas lembranças e impressões do mundo de repente tornam-se muito seletivas. Ao estar tomado por uma emoção, ela o impedirá de lembrar coisas que você de fato sabe, mas que a negariam. O que você consegue lembrar em geral é distorcido. Do mesmo modo, você perceberá o mundo filtrado pela emoção. Se for uma emoção negativa, você não verá aberturas e possibilidades potencialmente positivas. Por outro lado, você se torna ótimo na percepção de qualquer coisa que confirme os seus sentimentos. Você também lembrará, de repente, de coisas que ficaram para trás há alguns anos, mas que também fortalecem a emoção: "Aliás, você lembra o que fez há oito anos?!" Já ouviu isso? Quando temos uma emoção forte, simplesmente não tentamos desafiá-la. Ao contrário, queremos fortalecê-la e preservá-la. Às vezes isso nos ajuda, mas em geral causa problemas. O pesquisador de emoções Paul Ekman referiu-se a essa questão como "o erro de Otelo", aludindo ao protagonista ciumento de *Otelo*, uma obra de Shakespeare (ele de novo!).

Otelo ficou furioso com o fato de sua amada, Desdêmona, tê-lo traído e ter tido um caso com outro cara chamado Cássio (que era o melhor amigo de Otelo, e a história toda foi uma mentira forjada pelo maligno Iago — outro melhor amigo de Otelo). Otelo estava fora de si, tomado pelo ciúme, e ameaçou matar a mulher. Ela pede a Otelo que pergunte a Cássio, pois assim descobriria que as suas suspeitas estavam erradas, mas isso não ajuda, porque Otelo diz que já havia matado Cássio. Ao perceber que não há mais outro modo de provar a própria inocência, Desdêmona começa a temer por sua vida. Como Otelo está paralisado pelo seu estado emocional, com uma percepção extremamente seletiva do mundo, ele interpreta a reação dela incorretamente. Ele não consegue perceber que até mesmo uma pessoa inocente reagiria com tensão e medo nesse tipo de situação. Otelo considera que as reações emocionais de Desdêmona comprovam que ela de fato tinha algo a esconder, então ele a sufoca com um travesseiro.

É fácil pensar em Otelo como um bruto ou um tolo romântico, mas a verdade é que ele caiu na mesma armadilha em que todos nós caímos quando ficamos em um estado emocional intenso. É extremamente difícil ver a si mesmo e as suas ações de modo objetivo quando se está tomado pela emoção. É preciso muita prática. Por esse motivo, é valioso aprender a reconhecer quando as pessoas estiverem entrando em um estado emocional negativo, para que você possa desacelerá-lo antes que entre em ação.

Você lembra? Eu falei que, com a linguagem corporal, é possível conduzir alguém a um humor melhor. Ao alterar o estado emocional da pessoa, você também está ajudando a substituir a percepção seletiva negativa por uma mais positiva. O ponto de vista negativo pode ser substituído por uma visão mais positiva, o que é um jeito muito mais útil de ver a si mesmo e a sua situação.

> Emoções fortes podem distorcer as suas percepções do mundo. Emoções negativas bloqueiam experiências potencialmente positivas e promovem pensamentos esquecidos e negativos. Não faça nada de que possa se arrepender mais tarde se estiver preso a uma emoção forte. Tente esperar até que a emoção tenha passado antes de agir, mesmo que seja difícil.

Informações inconscientes

Observando as expressões faciais, é possível perceber quando alguém está ficando irritado ou bravo, com medo ou hostil antes de a pessoa sentir de fato essas emoções. Portanto, você saberá o que alguém está prestes a sentir antes mesmo que ele sinta. É o nível máximo da leitura da mente, então tenha cuidado com o modo pelo qual você manuseia as informações obtidas. São coisas que a pessoa com quem você está conversando compartilhou inconscientemente, e são informações de natureza pessoal. O mero fato de ter *insights* sobre a vida emocional de alguém não constitui automaticamente um convite para os seus espaços mais íntimos. Simplesmente despejar o que você notou sobre a pessoa pode ser considerado uma tremenda invasão de privacidade, o que pode destruir completamente qualquer empatia em andamento. Por esse motivo, em geral é melhor deixar o que se vê determinar as escolhas que você faz ao se comunicar, sem gerar um confronto direto.

Os sete samurais

Sete expressões emocionais universais

Paul Ekman é um famoso psicólogo e pesquisador norte-americano estudioso dos efeitos que vários estados mentais surtem em nós e como se refletem no corpo e no rosto. Por ter viajado pelo mundo todo para estudar como expressamos as emoções, ele descobriu sete emoções básicas que todos nós exibimos do mesmo jeito, quer estejamos em Papua-Nova Guiné ou em Springfield, Idaho. Estas são as sete emoções básicas:

Surpresa
Tristeza
Raiva
Medo
Alegria
Nojo
Desprezo

É lógico que existem outras emoções além desse grupo; por exemplo, a alegria é mais entendida como um conceito abrangente, consistindo em várias emoções positivas e não uma única emoção específica. Mas as emoções que não estão na lista podem ser expressas de modos diferentes ou deflagradas por coisas diferentes, dependendo da cultura e do lugar onde vivemos. Para os nossos objetivos, porém, essas sete emoções bastarão.

Ekman realizou uma análise sistemática de como cada emoção afeta os músculos faciais, ou seja, como parecemos ao experimentar emoções diferentes. Usei o modelo de Ekman como ponto de partida para as imagens seguintes e, por motivos de clareza, usei expressões faciais plenas e fortes. Você não verá muito esse tipo de expressão emocional na vida real. É mais comum que alguém demonstre apenas parte de uma expressão e de uma maneira muito mais sutil do que nas imagens seguintes. Mas, depois de saber o que procurar, será fácil detectar até mesmo emoções expressas sutilmente.

Mudanças sutis no rosto podem revelar para qual emoção a pessoa está se direcionando, até antes que ela mesma saiba disso, ou até quando ela nem sequer perceba. Porém, pode ser que ela esteja muito ciente do que está sentindo e que esteja fazendo de tudo para esconder, demonstrando uma emoção diferente ou nenhuma emoção. As expressões sutis e inconscientes são as suas pistas em busca do que ela está realmente sentindo. Também descreverei o que acontece no seu rosto quando você tenta não revelar as suas verdadeiras emoções.

Três tipos de expressões sutis

Há três classes principais de expressões faciais emocionais sutis. Elas se chamam *expressões suaves*, *expressões parciais* e *microexpressões*.

Uma expressão *suave* usa todo o rosto, mas sem muita intensidade. Todas as partes diferentes do rosto se alteram um pouco, mas a mudança não é muito óbvia. Uma expressão suave pode sinalizar uma emoção fraca, que, por sua vez, pode ser fraca em geral ou simplesmente fraca no momento. Pode ser uma emoção forte que tenha começado há pouco tempo e ainda não esteja totalmente desenvolvida, ou simplesmente uma emoção previamente forte que esteja retrocedendo. Uma expressão suave também pode ser o resultado de uma tentativa fracassada de ocultar conscientemente uma emoção forte. Como, por exemplo, o segundo colocado de um concurso que abraça o vencedor, esforçando-se ao máximo para não parecer decepcionado.

Uma expressão *parcial* somente usará uma ou duas das partes do rosto necessárias para uma expressão facial completa. Essas expressões parciais podem ser fortes ou suaves, mas em geral são suaves. Uma expressão parcial também indica uma destas duas possibilidades: é uma emoção genuinamente fraca, por ser fraca em geral, ou por estar prestes a acabar, mas uma expressão parcial também pode ser uma tentativa fracassada de ocultar uma emoção forte.

Microexpressões são expressões faciais lampejantes e rápidas, porém completas, que revelam o que a pessoa de fato está sentindo. Podem durar um quarto de segundo e são muito difíceis de observar conscientemente. Em geral são o resultado de uma interrupção. Começamos demonstrando ou sentindo medo, percebemos a interrupção e então tentamos disfarçar as nossas expressões rapidamente, sob a forma de uma emoção diferente. Mas, por um momento breve, uma expressão completa de medo esteve visível no rosto inteiro. As microexpressões costumam acontecer em meio a outras coisas, como a fala, ou quando o corpo se inclina para a frente etc. Elas são imediatamente acompanhadas de tentativas de disfarce. A maioria das pessoas não percebe as microexpressões, pelo menos não conscientemente, mas qualquer um com visão normal pode percebê-las. Só é preciso um pouco de prática. As microexpressões sempre indicam uma emoção reprimida, mas a expressão como tal não revela se a repressão é consciente ou inconsciente.

A expressão não revela a causa

Finalmente, lembre-se de que ao distinguir uma emoção, você ainda não tem ideia do que a causou. Otelo esqueceu isso e interpretou o que viu a partir da sua própria perspectiva emocional. Se você conseguir perceber no rosto de alguém que ele está irritado, não significa necessariamente que esteja irritado com você. Ele poderia estar irritado consigo mesmo ou simplesmente estar lembrando uma ocasião anterior em que estava irritado e que deflagrou a mesma emoção agora. Então, se você deixar as expressões emocionais que vê nos outros afetarem o seu próprio comportamento, primeiro é preciso ter certeza de que você também conhece o motivo dessas emoções. O melhor a fazer é ficar calado sobre o que você viu e prestar atenção às oportunidades que esse conhecimento oferecerá. Entrarei em mais detalhes sobre como abordar cada emoção específica, mas a maioria destes métodos envolve uma permissão para que a outra pessoa tenha uma abertura sutil para expressar como se sente, não um confronto direto, e a emoção que você percebe raramente é mencionada. "Tenho a impressão de que você está sentindo coisas sobre as quais ainda não conversamos, certo?" Às vezes, entretanto, você não deve comentar.

> Há três categorias diferentes de expressões faciais sutis que podem indicar uma tentativa consciente de ocultar uma emoção forte. As duas primeiras também podem indicar uma emoção demonstrada abertamente, porém fraca, ou uma emoção que acaba de ser deflagrada (e que pode se fortalecer).
> Expressões suaves = Toda a expressão é demonstrada, mas com pouca intensidade.
> Expressões parciais = Apenas parte da expressão é demonstrada (as sobrancelhas, por exemplo).
> Microexpressões = Toda a expressão é demonstrada, com intensidade, mas apenas por um momento extremamente curto.

Neutralidade

A foto da página seguinte traz uma imagem minha em uma manhã normal de novembro. É assim que fico quando o meu rosto está completamente relaxado. Todos os rostos parecem diferentes e alguns têm propriedades que podem levar você a pensar que estão expressando uma emoção até mesmo quando não estão. Como você pode notar, tenho lábios finos e uma boca relativamente pequena. Os cantos da minha boca também têm uma curva levemente descendente. Isso significa que as pessoas que não me conhecem podem achar que estou irritado com alguma coisa, já que lábios finos são um dos atributos que revelam raiva. Na verdade, entretanto, simplesmente estou relaxado. Por esse motivo, a menos que seja completamente óbvio, você nunca deve acreditar que alguém que acaba de conhecer está atravessando certo estado emocional. Poderia ser apenas a aparência. Então, antes de ler as minhas emoções, é preciso saber como pareço ao estar relaxado ou você não terá nada como comparar as minhas expressões.

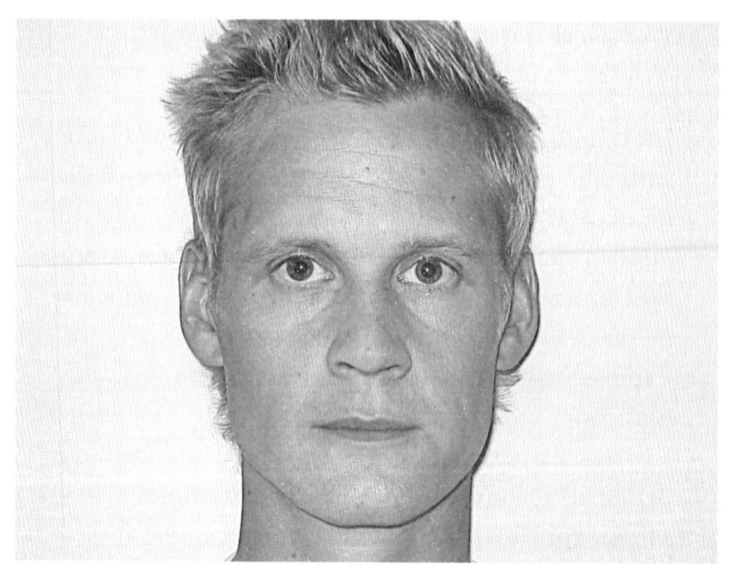

Neutralidade
"Ah, o Westlife voltou a tocar junto?"

Cada emoção será apresentada com uma foto de uma expressão facial completa *onde a emoção é expressa do modo mais puro possível. Para fins de clareza, a expressão será forte, embora essas expressões raramente sejam tão fortes no cotidiano. A expressão completa é, então, fragmentada em seus vários componentes.*

Surpresa

A surpresa é a emoção que sentimos pelo período mais curto, então vamos começar por ela. Quando ficamos surpresos? Quando algo inesperado acontece. Quando aquilo que pensamos estar prestes a acontecer, de repente, passa a ser outra coisa. Na verdade, não tínhamos a menor ideia do que estava prestes a acontecer, porque senão não ficaríamos surpresos. A surpresa dura somente alguns segundos até entendermos o que acabou de acontecer. Depois transforma-se em outra emoção, que é uma reação ao que nos surpreendeu. Nesse ponto, podemos dizer: "Que surpresa boa!", mas, na verdade, a surpresa em si não tem valor de um modo ou de outro. A alegria que sentimos é o que vem depois que entendemos o que ocorreu, como uma visita inesperada que chega à nossa casa.

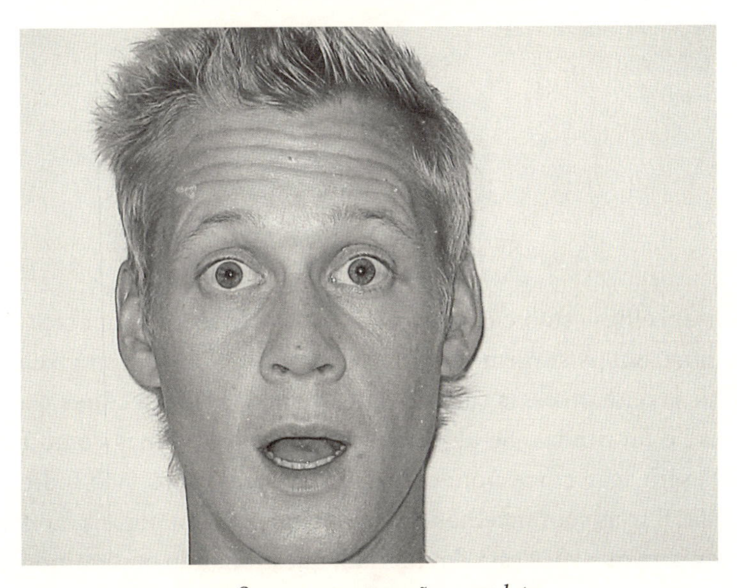

Surpresa: expressão completa
"Não é o Kirsten caindo do quarto andar bem em frente à nossa janela?"

Como a surpresa ocorre quando não estamos preparados, basicamente jamais poderíamos escondê-la, mesmo se quiséssemos. Ficar surpreso em geral não é um problema, a menos que conhecêssemos o objeto da nossa surpresa antes, é claro.

A surpresa não se limita às situações em que nos assustamos e recuamos, por exemplo quando ouvimos ruídos altos inesperados. Isso é simplesmente um reflexo físico, o que de fato parece o oposto da surpresa. Comprimimos o rosto e nos encolhemos para nos proteger. Quando ficamos surpresos, o nosso rosto se abre o máximo possível. A surpresa afeta três áreas do rosto de modo distinto.

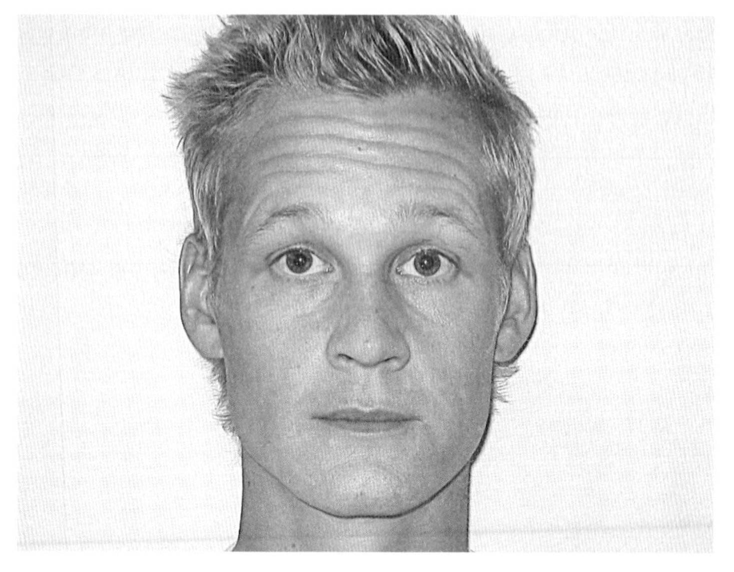

Surpresa: sobrancelhas e testa

As sobrancelhas estão curvadas e altas. A pele sob elas aparece mais e rugas horizontais surgem na testa de quem não for muito jovem. Pessoas que já tenham essas rugas quando relaxadas ficam com rugas mais distintas e profundas. Se alguém exibir as sobrancelhas como eu faço na foto, sem ação correspondente na boca e nos olhos, não indica mais surpresa. E se as sobrancelhas ficarem suspensas por alguns momentos, isso significa que você está duvidando, questionando ou sentindo-se espantado com o que ouve. Poderia ser uma expressão séria ou não, como em situações em que você simplesmente não acredita no que acabou de ouvir. Como pode ver nesta foto, o meu rosto todo parece expressar esse tipo de atitude questionadora, embora a única coisa diferente sejam as sobrancelhas. A foto na verdade é uma montagem engenhosa da foto da expressão neutra e de surpresa total. As sobrancelhas e a testa são tiradas do rosto surpreso e, o resto da imagem, do rosto neutro que você viu na página 106. Todas as imagens nas próximas páginas foram criadas dessa maneira, com a imagem neutra usada como base, e as partes específicas do rosto acrescentadas. Como é possível observar, muitas expressões faciais estão completamente alteradas (e expressam emoções completamente diferentes) quando apenas uma pequena parte do rosto muda.

Também parece uma situação em que a pessoa que está fazendo uma pergunta cuja resposta ela já sabe, ou que está fazendo uma pergunta retórica, tenderá a acentuar a pergunta, erguendo as sobrancelhas. Por outro lado, se ela não souber a resposta, as sobrancelhas baixas e contraídas que indicam concentração (mas costumam ser confundidas com raiva) serão exibidas. Tente você mesmo — faça a pergunta: "Como resolveremos isso?", uma vez, com as sobrancelhas baixas, e, outra vez, com as sobrancelhas erguidas. Observe como a conotação da pergunta passa de uma resolução de problema colaborativa (sobrancelhas baixas) a um tom muito mais confrontante (sobrancelhas erguidas).

Como você pode ver na foto, os olhos se arregalam. As pálpebras superiores estão elevadas, mas as inferiores estão relaxadas. A parte branca do olho, acima da íris (a membrana colorida que circunda a pupila) fica visível para muitas pessoas. Às vezes também é possível ver o branco do olho abaixo da íris, mas isso depende da profundidade dos olhos e se a pele sob eles está esticada quando a boca está aberta (veja a seguir).

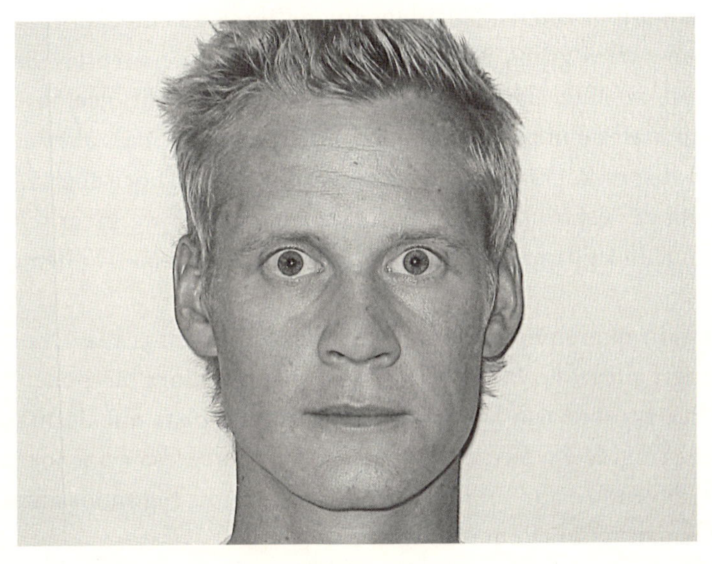

Surpresa: olhos

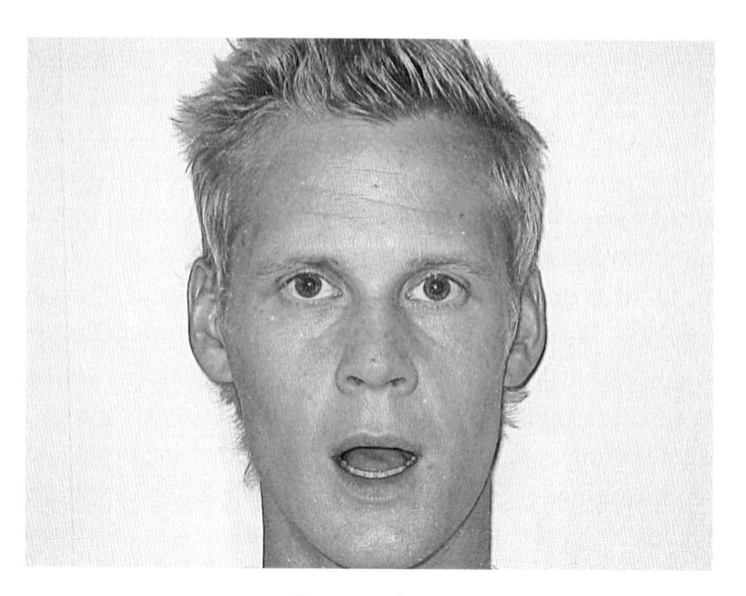

Surpresa: boca

Os olhos arregalados em geral são exibidos com sobrancelhas erguidas ou a boca aberta, ou ambas, mas também podem ocorrer isoladamente. Desse modo, são parte de uma expressão muito breve, de interesse crescente, o tipo de coisa que nos faz exclamar: "UAU!"

Quando nos surpreendemos, a nossa mandíbula literalmente cai e a boca abre. A intensidade depende da força da emoção. A surpresa surge em vários graus de intensidade, e o grau de surpresa em geral será expresso mais claramente pela boca. Olhos e sobrancelhas sempre parecem mais ou menos os mesmos, porém, quanto mais aberta a boca, maior a surpresa. Quando tudo o que você vê é uma boca aberta, é o que se chama de "estar chocado". Pode ser uma expressão inconsciente de uma emoção legítima ou um sinal consciente que objetiva demonstrar a emoção.

Quando queremos ocultar os nossos sentimentos reais, costumamos fingir surpresa. Mas a verdadeira surpresa dura tão pouco tempo que não é possível usá-la para encobrir algo. A pista que desmascara a surpresa fingida é a duração muito longa. A surpresa é a emoção mais rápida, devendo estar aparente apenas por alguns segundos antes de se transformar em uma emoção diferente.

Tristeza

A tristeza, ou pesar, é uma das emoções mais duradouras. Quando uso a palavra "pesar", não me refiro ao tipo de expressão extrema que, às vezes, encontra vazão em funerais, por exemplo. Todas as emoções têm uma forma de expressão extrema (a forma extrema do medo, por exemplo, é a fobia). Estou me referindo às expressões mais comuns dos estados emocionais.

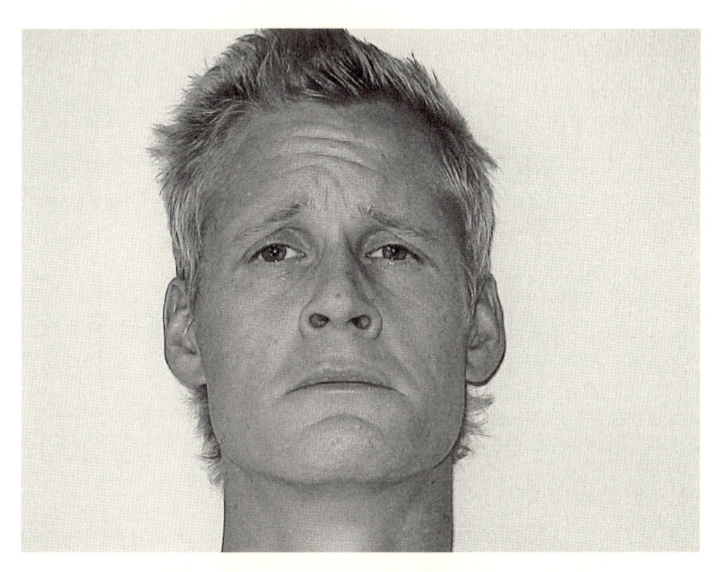

Tristeza: expressão completa "ET... telefone... minha casa."

Há muitas coisas que podem nos deixar infelizes, mas isso geralmente acontece quando perdemos algo. Por exemplo, quando perdemos a nossa autoconfiança após cometer um erro no trabalho, quando somos rejeitados por um amigo ou namorado, quando perdemos um membro em um acidente, quando alguém morre, é claro, ou talvez quando perdemos algum bem material do qual gostamos muito. Dizemos que estamos nos sentindo de baixo astral, deprimidos, tristes, decepcionados, descontentes, impotentes ou desesperadamente infelizes. Ficamos passivos e retraídos, o que nos permite poupar energia e reconstruir a nossa força. Mas tendemos a confundir tristeza e raiva; ficamos com raiva daqueles que nos deixaram infelizes como forma de defesa.

A tristeza também tem uma função social, porque uma pessoa que sinaliza estar triste geralmente recebe ajuda, conforto e apoio dos outros. Por algum motivo, muitos homens absorveram uma tradição peculiar ao crescer: não devemos deixar ninguém ver que estamos tristes. Assim, muita gente fará o possível para ocultar os próprios sentimentos quando se sente triste. Mas isso não significa que essas pessoas terão êxito — provavelmente não terão, porque as expressões faciais ocorrem involuntariamente. Elas surgem até mesmo quando não desejamos. As pessoas que tentam suprimir as emoções quase sempre deixam escapar algo visível.

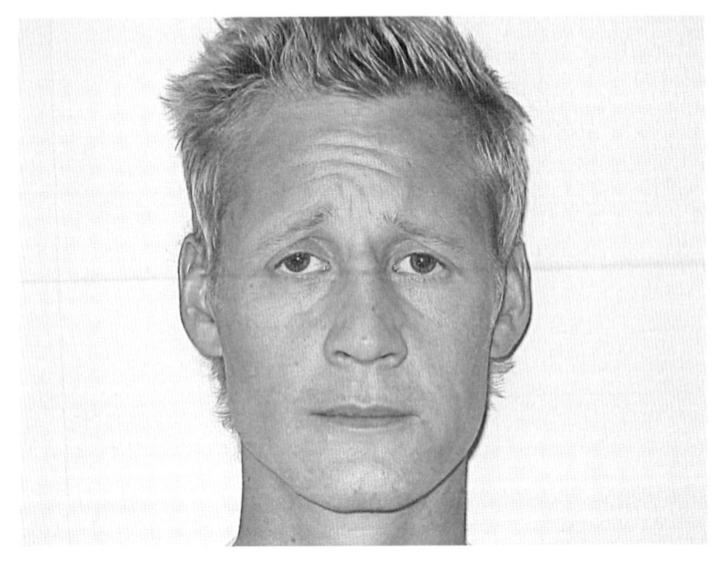

Tristeza: sobrancelhas, testa e pálpebras superiores

Na sua forma mais extrema, o único sinal de tristeza ou pesar pode ser a falta de tensão muscular no rosto. Mas, na maioria das vezes, haverá uma reação na sobrancelha e na testa. As partes internas das sobrancelhas ficam contraídas e para cima. Observe que não é a sobrancelha inteira que fica para cima, apenas a ponta. É um dos movimentos musculares mais difíceis de fazer conscientemente. Eu o chamo de "sobrancelhas de Woody Allen", porque parece ser uma característica mais ou menos permanente no rosto dele...

Woody Allen, com as sobrancelhas sempre apontando para cima.

O movimento das sobrancelhas também significa que rugas verticais entre elas serão criadas ou aprofundadas e que os cantos interiores das pálpebras superiores serão elevados, adquirindo uma aparência triangular. Alguns erguem as sobrancelhas muito discretamente. Pode fazer uma diferença tão suave que é invisível, especialmente se a pessoa estiver tentando ocultar a expressão. Mas ainda assim o triângulo nas pálpebras ficará evidente. Então, se você não tiver certeza, é sempre possível procurar esse sinal. O oposto também se aplica: se você detectar o triângulo nas pálpebras de alguém que pareça ter um humor neutro de outro modo, é um sinal certo de que está começando a se sentir triste ou que está muito triste, mas tentando escondê-lo do melhor jeito possível, controlando a expressão facial. Além disso, as pálpebras de alguém triste cairão mais do que em outra situação. Esse movimento é, na maioria das vezes, visto juntamente com a expressão do rosto inteiro, mas pode ser demonstrado isoladamente, como na foto a seguir.

Se a tristeza for particularmente profunda, as pálpebras inferiores também serão afetadas e ficarão tensas, para cima.

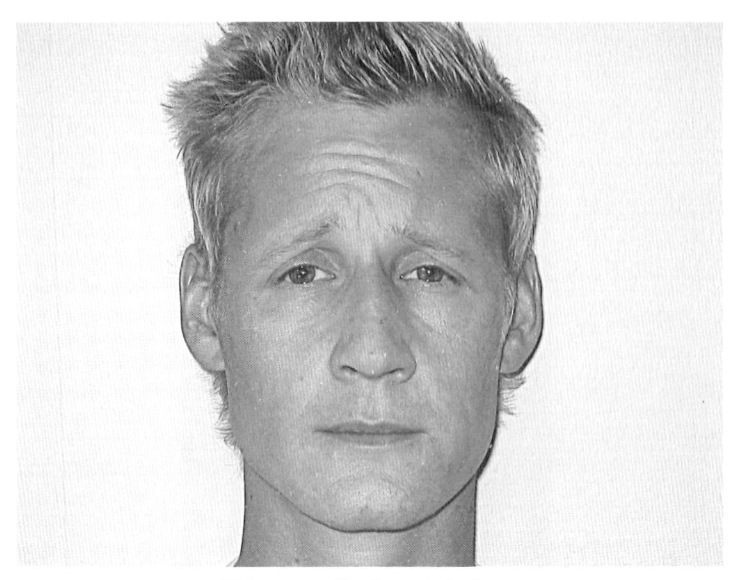

Tristeza: pálpebras inferiores

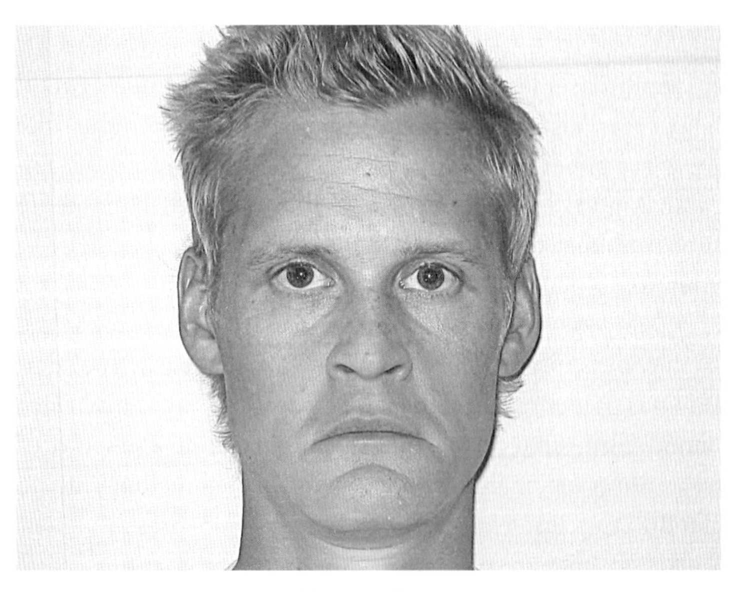

Tristeza: boca

Uma boca triste costuma ser confundida com a expressão usada para mostrar desprezo. Os cantos de uma boca triste apontarão para baixo, e o lábio inferior pode ser projetado quando fazemos bico. Podem aparecer rugas na pele do queixo. A diferença é que, ao sentirmos nojo ou desprezo, o nosso lábio superior é erguido. Mesmo se os cantos da boca estiverem virados para baixo, não projetamos o nosso lábio inferior ao expressar desprezo. Se apenas uma boca triste estiver visível, como na imagem anterior, é realmente impossível saber o que a pessoa de fato está sentindo. Essa é uma das poucas ocasiões em que um único elemento de uma expressão facial não é suficiente para expressar qual é a emoção subjacente.

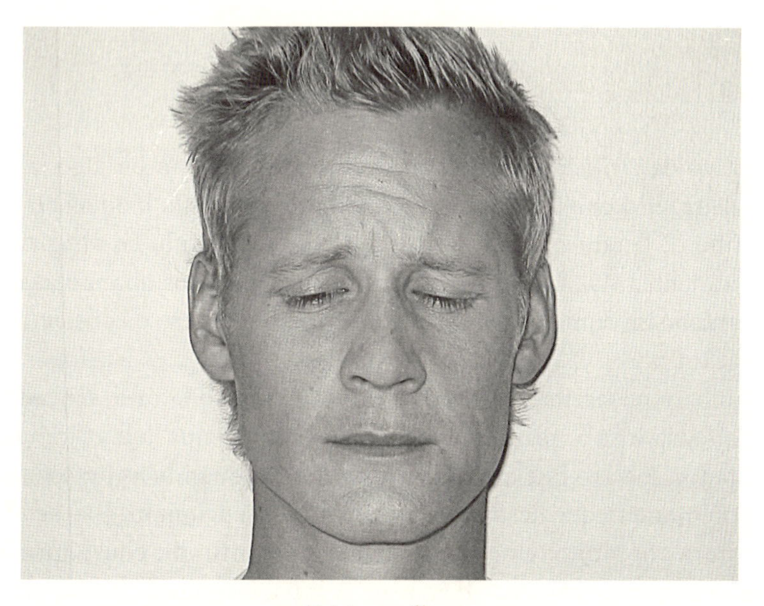

Tristeza: olhar

Na foto acima há uma característica nova. Os olhos baixos em geral são vistos nas pessoas tristes. É claro que olhamos para baixo várias vezes ao dia sem necessariamente estarmos tristes, mas, se fizermos isso ao mesmo tempo em que demonstramos as sobrancelhas tristes, como na foto, os sinais são muito claros. Outra coisa que pode acontecer com frequência é erguer as bochechas, o que torna os olhos mais estreitos do que o usual.

Se alguém que não estiver triste fingir que está, ele demonstrará isso nas regiões inferiores do rosto, especialmente a boca, e olhando para baixo. A falta de quaisquer sinais de tristeza nos olhos, sobrancelhas e testa é uma boa indicação de que se trata de uma emoção falsa (a menos que você esteja lidando com uma daquelas pessoas raras que não usam essa parte do rosto para expressar pesar, é lógico. Elas existem, mas são poucas). Para garantir que se trata de uma expressão genuína, você deve começar procurando a forma triangular nas pálpebras superiores.

Se alguém estiver se sentindo triste, porém tentando esconder, ele geralmente tentará se concentrar em não deixar a boca desmascará-lo. O "olho triangular" e também as sobrancelhas ainda estarão lá para serem reconhecidas.

Raiva

O motivo de irritação mais comum é quando alguém ou algo nos impede de fazer o que desejamos. Quando um indivíduo bloqueia o nosso caminho. E ficamos ainda mais irados se o obstáculo se dirigir a nós pessoalmente. Mas também podemos ficar frustrados quando as coisas não funcionam como devem, o que de fato é outro caso de obstáculos no nosso caminho.

Também nos irritamos conosco às vezes. Outro fator desencadeante é a violência ou a ameaça de violência. Isso pode nos deixar irritados e assustados. É claro que também nos irritamos quando as pessoas agem de certa maneira que desaprovamos ou nos decepcionam. Não sentimos raiva pura por muito tempo — ela tende a se confundir com alguma outra emoção, como medo ou desprezo. A raiva é a emoção mais perigosa, já que pode provocar o desejo de prejudicar física ou emocionalmente a pessoa com quem estejamos irritados. O impulso de desejar ferir os outros surge quando somos muito jovens e é algo que todos nós precisamos aprender a controlar quando crescemos.

Então existe alguma vantagem em sentir raiva? A raiva nos ativa e motiva a mudar o que nos irritou. O problema é entender o que nos irritou tanto, em primeiro lugar. Em geral direcionamos a nossa raiva a alvos errados. Tomar alguma atitude no momento da raiva quase sempre é uma tolice. Quando se está irritado, tudo é interpretado e percebido através da raiva. Na verdade, nessas situações o melhor a fazer é calar-se e não agir até que a emoção comece a sumir e você se torne capaz de ter uma percepção mais sutil dos fatos novamente.

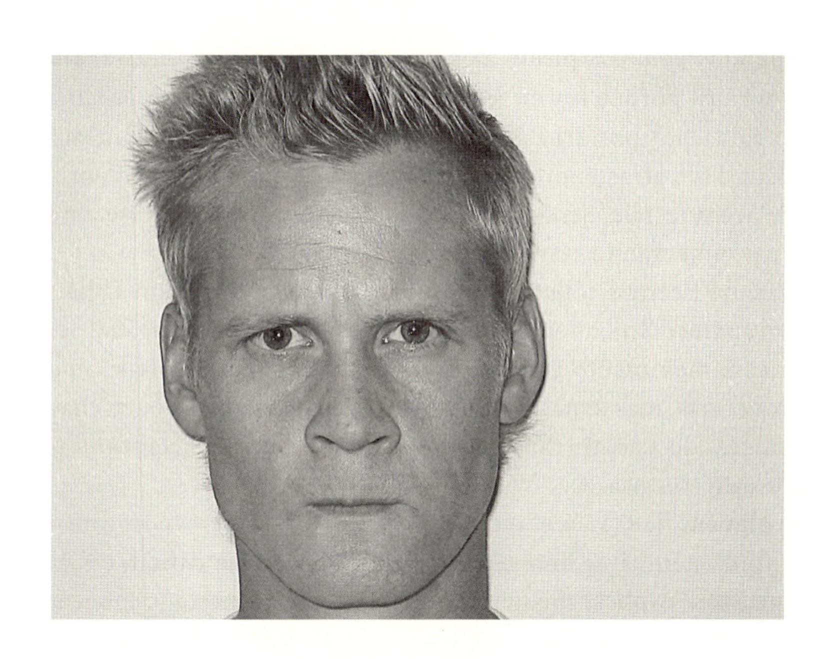

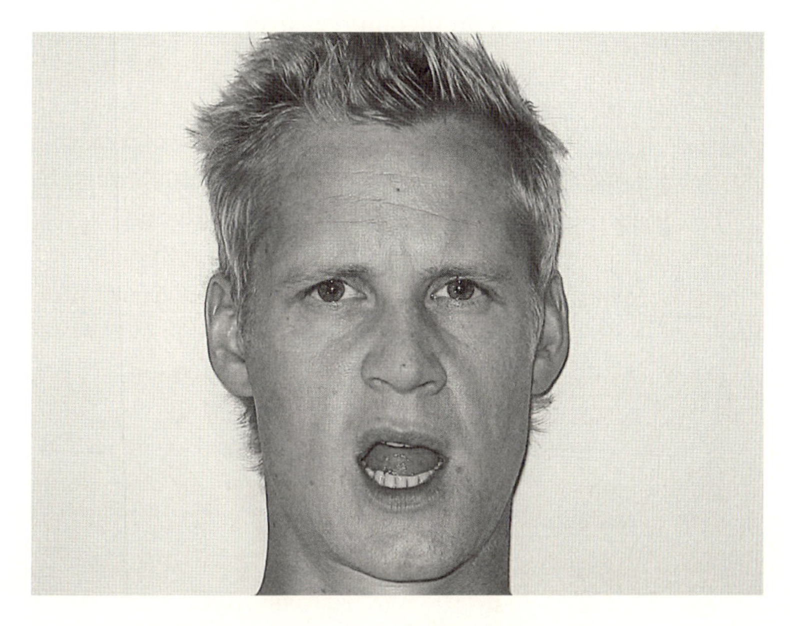

Raiva: expressão completa, duas versões
"Intervalo comercial? DE NOVO!?"

Quando ficamos expostos a qualquer tipo de ameaça, a raiva também pode ser útil porque limita o medo, e o medo, às vezes, é paralisante. Sentir raiva, ao contrário, impulsionará você a enfrentar a ameaça.

Além das outras expressões, a raiva exige uma mudança em todas as três áreas faciais. Senão, nós não conseguimos perceber se a pessoa está experimentando raiva ou outra coisa.

Quando ficamos com raiva as sobrancelhas se contraem e abaixam. Podem aparecer linhas entre elas, mas a testa não fica enrugada. Se você notar esse movimento isolado, pode significar várias coisas: a pessoa está com raiva, mas tentando esconder; a pessoa está um pouco chateada ou começando a sentir raiva; a pessoa está séria ou concentrando-se; a pessoa está confusa.

Se alguém fizer isso enquanto você estiver conversando com ele, e você ainda nem tiver apresentado algum problema difícil, é sinal de que precisa se explicar melhor, já que ele obviamente está se concentrando muito para acompanhar o que você está dizendo. Darwin chamava isso de "músculo da dificuldade". Parece que o usamos sempre que nos deparamos com algo difícil ou incompreensível.

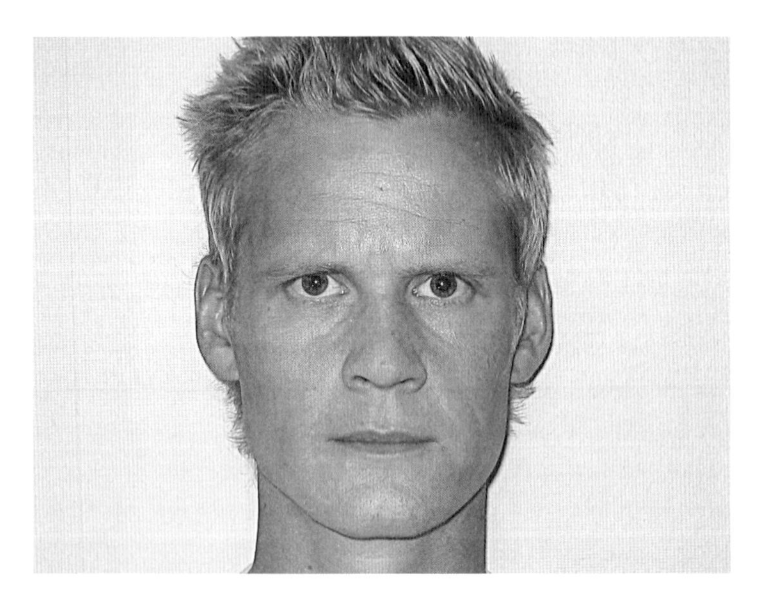

Raiva: sobrancelhas

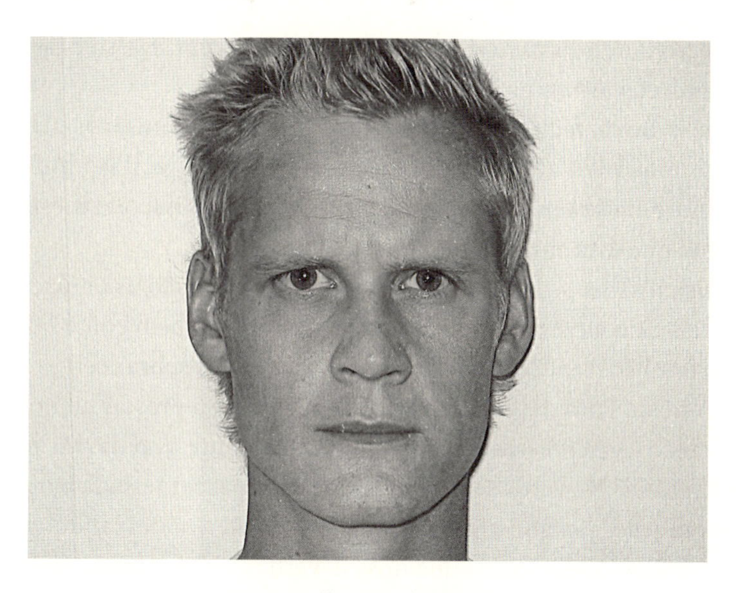

Raiva: olhos e pálpebras

As pálpebras se tensionam e os olhos adquirem uma expressão penetrante. A pálpebra inferior pode ser mais ou menos erguida, dependendo do seu grau de raiva. Graças à pressão descendente da sobrancelha, a pálpebra superior parece estar abaixada, o que estreita os olhos. Se alguém exibir esses olhos, e nada mais, pode indicar raiva contida, mas também que está tentando se concentrar. Mesmo que os olhos e as sobrancelhas estejam presentes, a expressão ainda pode indicar tanto concentração quanto raiva. Mas quando os olhos se tensionam, geralmente é um caso de concentração visual mais especificamente, quando precisamos focar a nossa visão em algo, por exemplo. Para ter certeza de que realmente se trata de raiva, também precisamos ver a boca (p. 120):

Há dois tipos de bocas que indicam raiva. A fechada, com os lábios comprimidos, é usada para ataques físicos (em uma luta) ou quando se tenta reprimir aquilo que você realmente quer dizer. E há a boca aberta, usada para mostrar a todos o quanto estamos com raiva (em geral em voz alta).

Se apenas a boca for exibida, é difícil saber o que significa. A boca fechada pode indicar uma raiva leve ou controlada, mas pode, assim como as sobrancelhas, indicar concentração ou esforço. Nessa situação não se trata de um caso de esforço mental, porém. É físico, a exemplo de quando levantamos algo pesado.

Mas a boca fechada e apertada é um dos primeiros sinais que aparecem quando alguém começa a sentir raiva. É fácil ver toda a parte da mandíbula se tensionar. Geralmente exibimos isso até mesmo antes de notar que estamos ficando com raiva.

É difícil saber se a raiva é forjada, pois a expressão usa músculos que são fáceis de controlar conscientemente, e todos sabem como fazer. Para variar, também tendemos a nos lembrar de usar as sobrancelhas ao forjar essa emoção. Para determinar se é falsa, é preciso prestar atenção à sincronização. A expressão ocorre simultaneamente às palavras ou ações, ou é atrasada? Na verdade a raiva é a melhor máscara usada para ocultar outra emoção, porque amarramos o rosto inteiro, deixando apenas as sobrancelhas como sinais dos nossos verdadeiros estados emocionais. Felizmente vivemos em uma cultura em que expor um rosto irritado o dia inteiro não ajuda muito, embora alguns pareçam tentar. Se alguém estiver com raiva, mas tentar escondê-la, a raiva virá à tona na tensão das pálpebras, no olhar ou nas sobrancelhas contraídas.

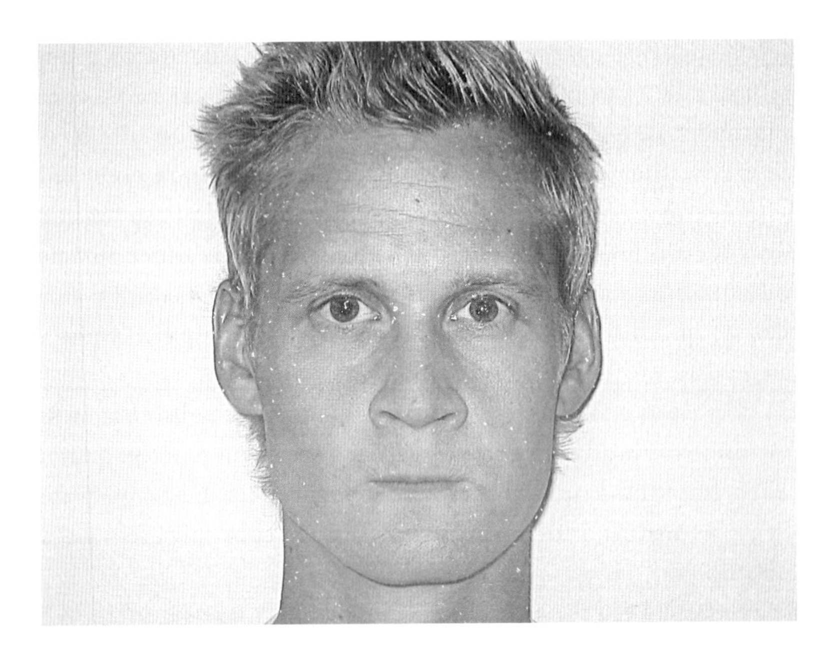

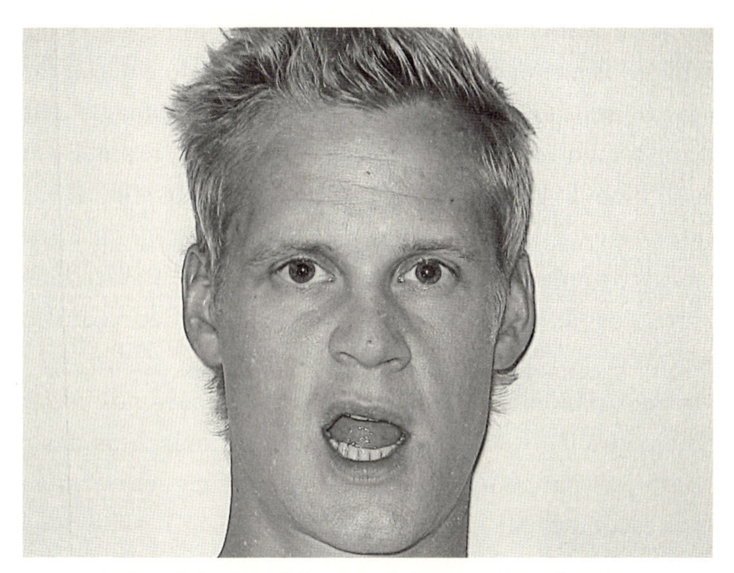

Raiva: dois tipos diferentes de bocas indicando raiva

Medo

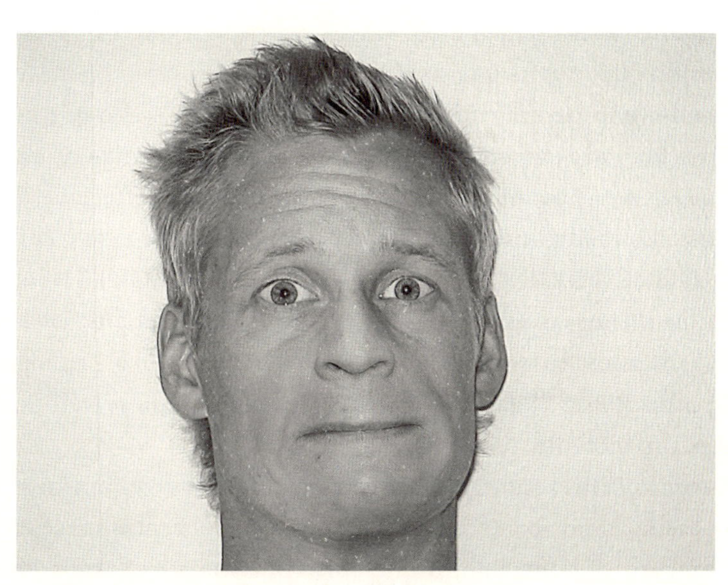

Medo: expressão completa
"O quê? O Lynyrd Skynyrd está junto de novo?"

O medo é a emoção que mais conhecemos por um simples motivo: é fácil assustar os animais em experiências. O medo é deflagrado pelo perigo de algum dano físico ou emocional. Exemplos de coisas que despertam o medo são objetos que venham com rapidez em nossa direção ou quando perdemos o equilíbrio e caímos, literal e metaforicamente. Ameaças de dor, como saber que precisamos ir ao dentista, podem causar medo também. A maioria de nós se assusta facilmente com cobras e répteis ou com o pensamento de perder o equilíbrio em lugares altos.

Em termos biológicos, o medo nos prepara para nos esconder ou fugir. O sangue flui em direção aos grandes músculos das pernas, preparando-nos para correr, se necessário. Se não corrermos, tentaremos nos esconder. Mas esconder-se significa agir como os animais, como o cervo que fica paralisado diante dos faróis. Pode parecer um jeito estranho de reagir, mas faz sentido, já que os predadores com visão ruim não conseguem distingui-lo se você ficar parado. Quando dizemos que estamos ficando "paralisados de medo", estamos nos referindo a nos esconder.

Se não pudermos correr nem nos esconder, é muito provável que o nosso medo se transforme em raiva. Então, em outras palavras, se o comando que ordena que o sistema nervoso se prepare para fugir ou se esconder não parecer útil, nós mudaremos para outro que nos mobilize à ação. Para enfrentar a situação, ficamos com raiva de qualquer coisa que tenha nos ameaçado. As nossas expressões faciais, quando estamos com medo, indicam duas coisas: "Perigo por perto, cuidado!" e "SOCOOOOOORROOOOO! EU QUERO SAIR DAQUI!" Nesse caso, é bom ter as nossas expressões faciais porque a fala costuma falhar quando estamos fortemente emocionados. Como diz o Leitão, amigo do Ursinho Pooh: "Socorro, socorro, um elefante horrível! Sorroco, sorroco, um olefante herrível!"

As sobrancelhas são erguidas, mas ficam retas ao exibirmos medo. Então, assim como acontece com a surpresa, as sobrancelhas se erguem, mas também se contraem, o que aproxima mais os cantos internos do que na surpresa. Elas também não ficam tão erguidas como na surpresa.

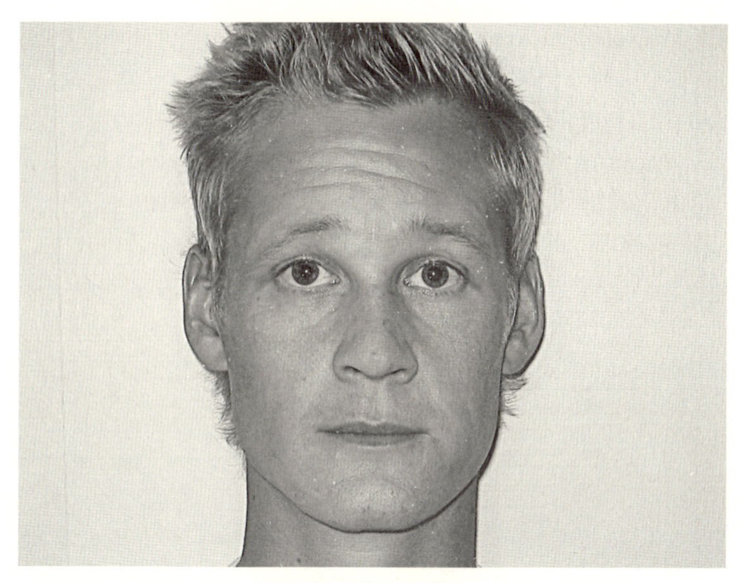

Medo: sobrancelhas

Rugas surgem na testa também, embora em casos de medo elas, na maioria das vezes, não cruzem toda a testa. Se as sobrancelhas se moverem isoladamente, isso indica preocupação ou medo controlado. Nesta foto, todo o meu rosto parece preocupado, mas é uma montagem em que tudo abaixo das sobrancelhas vem da foto neutra original.

Na figura seguinte, os olhos estão abertos e tensos. Assim como ocorre com a surpresa, as pálpebras superiores estão erguidas, dessa maneira podemos ver o branco dos olhos, mas, nesse caso, as pálpebras inferiores estão tensionadas, e não abertas, podendo cobrir uma parte da íris. Os olhos tensos e as sobrancelhas erguidas são, geralmente, exibidos juntos (como nesse caso) ou com as sobrancelhas e a boca, mas podem aparecer isoladamente. Se isso acontecer, será muito rápido, como em uma indicação de medo genuíno que é moderado ou controlado.

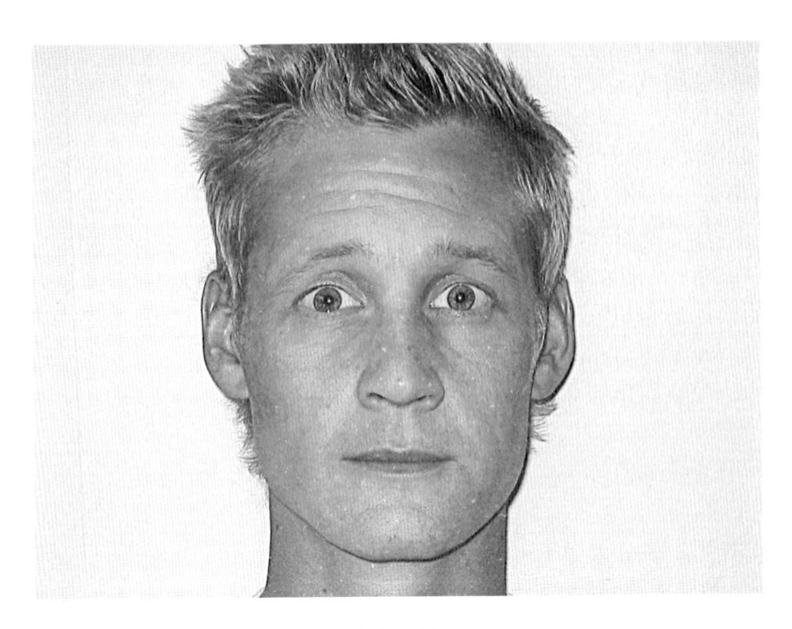

Medo: olhos

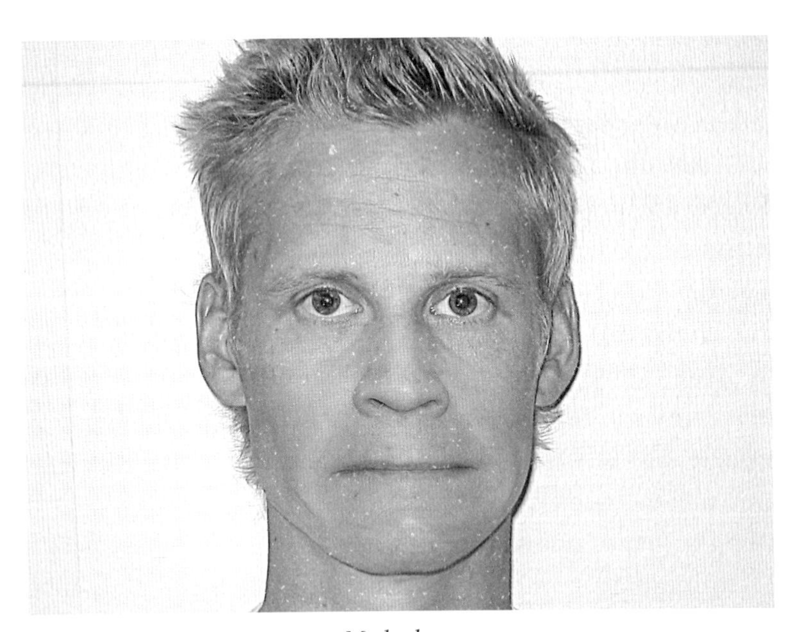

Medo: boca

A boca fica aberta ou quase fechada. Os lábios estão tensos e podem estar retraídos, ao contrário da boca mais relaxada que temos na surpresa. Se apenas a boca for exibida, significa ansiedade ou preocupação.

Se a boca fechada e temerosa for exibida sozinha e rapidamente, pode significar que você está com medo e tentando não demonstrar, que está se lembrando de uma ocasião em que estava com medo ou usando-a como uma ilustração consciente no contexto de uma conversa. Por exemplo, quando você diz: "Uau! Foi assustador!"

Quando alguém finge sentir medo, provavelmente, como sempre, esquecerá de usar as sobrancelhas e a testa, usando apenas a boca. É possível que também esqueça de usar os olhos.

Se você notar que apenas as sobrancelhas indicam medo no rosto de uma pessoa, talvez porque ela esteja tentando demonstrar uma emoção diferente do medo com o restante do rosto, trata-se de um sinal suficiente e genuíno de medo. A única situação em que a testa e as sobrancelhas não se incluem em uma expressão genuína de medo seria em casos de um temor realmente paralisante, como em situações de choque. Então, somente os olhos e a boca são usados.

Nojo

Siga estas instruções: engula uma vez — AGORA — para deixar a boca seca. Espere um momento até sentir que produziu saliva nova. Provavelmente levará algum tempo. Pronto? Tudo bem? Agora imagine que está cuspindo essa saliva nova em um copo.

E depois que está bebendo-a.

Eu uso essa experiência mental, sugerida pelo pesquisador de emoções Paul Ekman, quando dou palestras. A minha sugestão em geral é correspondida pelas expressões faciais na página 127. É característico do nojo ou repulsa envolver algo que repelimos, como o gosto de alguma coisa que você queira cuspir imediatamente. Só a ideia de comer certas coisas pode causar nojo. O mesmo se aplica a certos odores ou à sensação causada por coisas pegajosas. Algumas ações podem causar nojo, como tortura de animais ou abuso sexual de crianças. Os deflagradores mais universais de nojo são os excrementos corporais: fezes, fluidos corporais, sangue e vômito. A emoção não é acionada até que eles saiam do corpo, como no teste da saliva anterior. Enquanto a saliva estava na sua boca, não houve problemas. A única diferença entre a primeira e a segunda vez em que pedi para você engolir a sua saliva foi que, na segunda vez, ela estava fora do seu corpo por um breve período. E você logo sentiu nojo!

O nojo não começa a acontecer antes dos 4 ou 5 anos de idade, mas, a partir daí, ele nos fascina totalmente. É por isso que as lojas de brinquedos vendem vômito falso, que gostamos de filmes como *Débi & Loide* e *Quem vai ficar com Mary?* e que tanta gente examina o lenço depois de assoar o nariz. Isso também poderia justificar por que os vasos sanitários alemães são projetados do jeito que são. (Caso você não saiba: eles têm uma prateleirinha na qual o resultado das suas necessidades cai, em vez de ir direto para a água. Primeiro cai na prateleira, para inspeção, quer você queira ou não. Deixarei você decidir se isso é o resultado de problemas sérios de controle, ansiedade de separação — adivinhe o que "retentor anal" significa? — ou se não passa de uma desculpa para os adultos darem risadinhas e dizerem: "Ih, olha o que eu fiz!")

Como adultos, acreditamos sentir nojo de outras pessoas: aquelas que cometem crimes morais, políticos, intimidadores etc. Porém, o que é considerado crime moral pode variar em diferentes culturas.

O nojo é uma emoção extremamente poderosa. O psicólogo John M. Gottman passou 14 anos em Washington filmando entrevistas com 650 casais casados. Ele e seus colegas do "Laboratório do Amor" descobriram que é possível detectar sinais que indicam se o relacionamento durará ou não em apenas três minutos de conversa gravada. Um dos sinais mais fortes é o nojo. Se algum sinal inconsciente sutil de nojo surgir, especialmente na mulher, em termos estatísticos é improvável que o casal continue casado após quatro anos.

O que nos provoca nojo é, naturalmente, o impulso de nos distanciar do objeto repulsivo. Podem dizer que o nosso nojo de sangue e excrementos corporais ajuda a evitar infecções; por outro lado, ele também limita a nossa empatia e potencial social. Ao sentir nojo de outras pessoas, nós as tornamos menos humanas. Isso foi (e ainda é) usado com sucesso na propaganda política e religiosa, já que é mais fácil ser desumano com quem nos é repulsivo. Como acontece em *Star Wars*. É claro que é muito mais fácil matar dezenas de soldados das tropas do Império se não precisarmos ver o rosto deles.

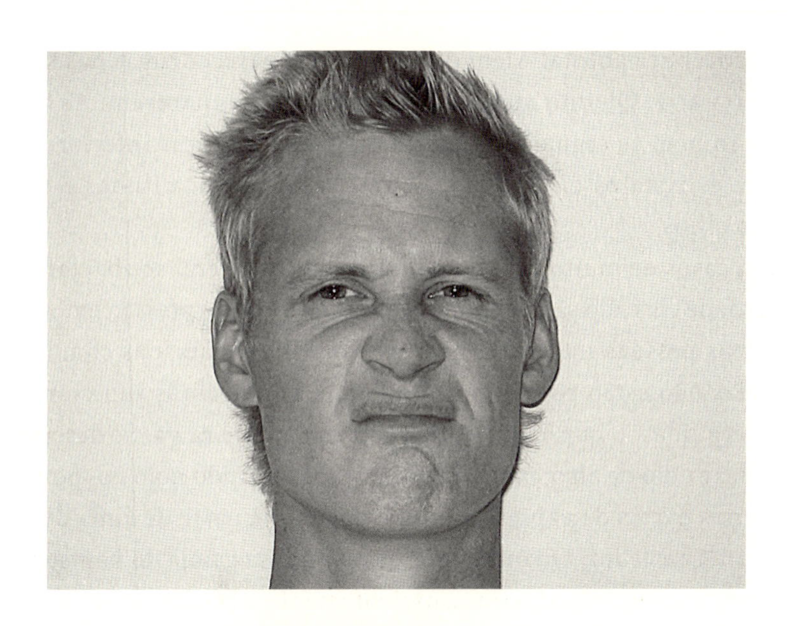

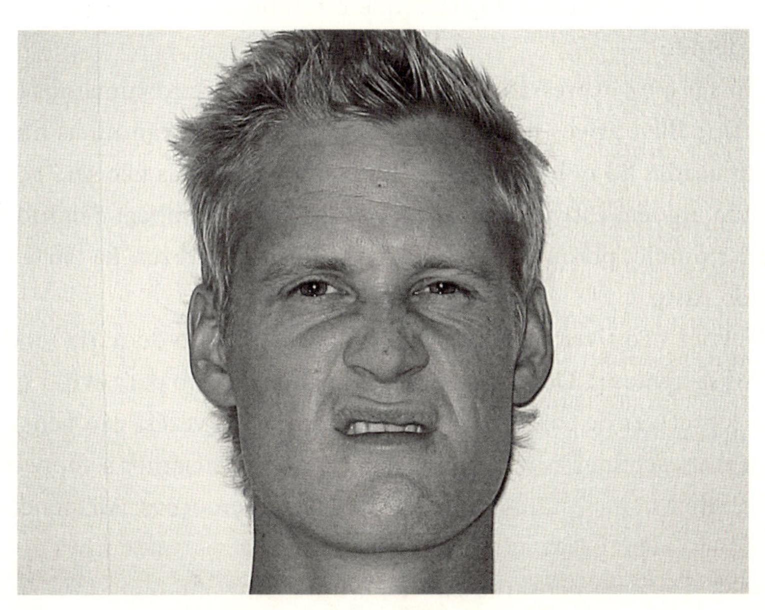

Nojo: expressão completa, duas versões
"Não tem problema. Todo mundo tem dor de barriga."

Nestas duas figuras o nojo é demonstrado pelas rugas no nariz e o lábio superior elevado. O lábio inferior também pode ser elevado e projetado, o que resulta na boca fechada, ou para baixo e projetada, levando à boca aberta. Além disso, podem aparecer rugas nas laterais sobre o nariz. Quanto maior o nojo, mais rugas aparecem. As bochechas também se erguem, o que empurra as pálpebras inferiores para cima e estreita os olhos. Isso, por sua vez, provoca linhas e dobras sob os olhos.

Em casos de muito nojo, as sobrancelhas em geral se abaixam, mas na verdade elas não são tão importantes para essa expressão emocional. Algumas pessoas interpretam as sobrancelhas abaixadas como raiva, mas elas não estão contraídas no meio, e as pálpebras superiores não estão erguidas, o que aconteceria se fosse caso de raiva. Se desejarmos expressar nojo de algo, mas não estivermos sentindo nojo no momento, usaremos partes da expressão, como enrugar a parte de cima do nariz e dizer: "Que fedor! Quantas vezes limpam essa gaiola do hamster?" Se usarmos a expressão inteira conscientemente, ela continuará no rosto por mais tempo, deixando claro que estamos fazendo uma ilustração consciente.

Por ser uma expressão óbvia, é fácil fingir nojo, e costumamos usá-la para fins ilustrativos nas conversas. A testa e as sobrancelhas não são muito usadas no nojo, o que significa que a falta delas não será sentida quando alguém estiver fingindo. Por essa razão, também é muito fácil ocultar o nojo, porque é expresso, na maioria das vezes, na parte inferior do rosto.

Se você não tiver certeza, procure a ruga no osso do nariz (onde os óculos se apoiam). Geralmente fica bem alta no rosto para evitar quaisquer tentativas de controle. Mas, na maioria das vezes, não pensamos em tentar esconder essa emoção. Não acho que estejamos sempre conscientes dela como estamos em relação a outras emoções. Ao mencionar "emoções", a maioria das pessoas pensa em tristeza, amor, raiva e coisas afins. Raramente pensarão em nojo. Então, mesmo quando sorrimos com a boca, qualquer nojo que de fato estejamos sentindo terá livre acesso ao restante do rosto sem que notemos. Eu queria que alguém tivesse avisado isso a Mat-Tina, famosa chef sueca, antes de criarem a capa desse livro de culinária (a seguir).

Veja o nariz enrugado, as bochechas erguidas e o formato do lábio superior. Mesmo se esforçando para sorrir, não dá certo. É evidente que batatas frias e sujas não agradam Tina.

Desprezo

O desprezo está próximo ao nojo. Porém, há várias diferenças importantes entre eles, tanto em como nós os expressamos quanto no que significam. Sentimos desprezo somente por seres humanos e por suas atitudes. Ao contrário do nojo, não sentimos desprezo por objetos. Pensar em uma versão *tecno* da "Macarena", da dupla Los Del Rio, pode causar nojo (pensando bem, medo também é uma possibilidade plausível), mas não desprezo. Podemos, entretanto, sentir desprezo por quem opta por usar uma versão tecno da "Macarena" como toque de celular. Não sentimos absolutamente a necessidade de nos afastar de pessoas que desprezamos, mas nos sentimos superiores a elas. Trata-se de um sentido de superioridade moral.

Também existe um tipo clássico de desprezo sociocultural vindo de uma posição inferior, como o desprezo que os adolescentes sentem pelos adultos, ou os incultos pelos acadêmicos. Esse tipo de desprezo é um jeito de se sentir superior àqueles que ocupam um posto mais alto do que o seu na hierarquia social. Aqueles que se sentem inseguros sobre a própria posição ou situação em geral usam o desprezo como arma. Muita gente de fato mantém o poder e a própria condição, desprezando quem está abaixo. É um método muito eficaz, mas tende-se a ficar muito sozinho no topo quando ninguém gosta de você.

Falei sobre as descobertas de Gottman a respeito dos sinais inconscientes de nojo em casais casados e que o relacionamento era mais afetado se os sinais viessem da mulher. Gottman também mediu o desprezo.

Quando sinais sutis de desprezo são exibidos pela parte dominante do relacionamento (geralmente o homem), a outra parte (geralmente a mulher) sente-se esmagada, convencida de que os seus problemas não podem ser resolvidos, que tem sérias questões conjugais ou de relacionamento e até fica doente com mais frequência! Esse não foi o caso quando as expressões sutis eram de raiva ou nojo. Era especificamente desprezo. Assim, temos todos os motivos para prestar atenção a isso em qualquer tipo de relacionamento.

Eu mesmo, alguns anos atrás, estava em um relacionamento estagnado. Por alguns meses eu havia ficado muito chateado com o estilo de vida da minha parceira. Certo dia, percebi de repente que eu estava ativando alguns músculos específicos do rosto ao pensar nela. Chocado, notei que estava fazendo a expressão facial do desprezo. E isso, naturalmente, afetava as minhas próprias atitudes mentais em relação a ela. Quando passei a ter consciência disso, foi mais fácil evitar a reação muscular, o que tornou as minhas percepções dela e o relacionamento como um todo muito mais positivos. Era tarde demais, porém; o relacionamento já estava condenado. É claro que houve outras razões para o fim, mas o meu desprezo inconsciente pelo nosso relacionamento provavelmente não ajudou.

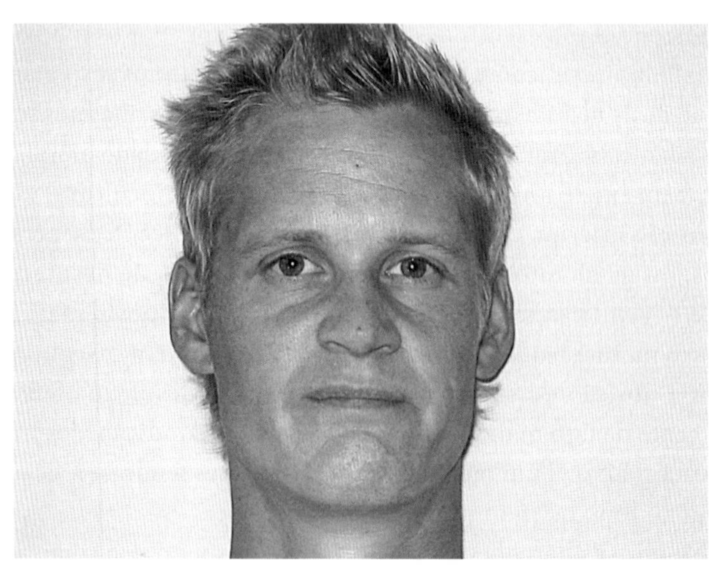

Desprezo: expressão completa
"Como assim? Você não lê livros sem ilustrações?"

O desprezo é indicado no rosto com o canto comprimido e elevado da boca. O resultado é um sorriso torto. Também pode ser o lábio superior erguido em um lado da boca, como uma boca parecida com a de nojo. Imagine Elvis (ou Billy Idol, se alguém ainda se lembra dele) antes de começar a cantar. Pode ser sutil, nada mais que uma contração rápida no lábio superior, ou tão óbvia que os dentes fiquem à mostra, dependendo da intensidade do desprezo. Em geral a expressão é seguida por uma expulsão de ar pelo nariz, mais ou menos como bufar. Os olhos tendem a se voltar para baixo — literalmente olhamos de cima a pessoa que desprezamos.

Se essa expressão for parte da nossa expressão facial natural, teremos problemas por causa da nossa aparência. A carreira do ex-primeiro-ministro sueco Göran Persson foi poluída de acusações como "arrogante", "depreciador" ou até mesmo "grosseiro". Não tenho a pretensão de saber se ele mereceu ou não. Mas o que sei é: ele tinha mesmo um sorriso bem torto. Se a única informação que você tivesse de alguém fosse a foto a seguir, honestamente, você compraria um aparelho de DVD usado desse cara?

Göran: ardiloso ou apenas sem sorte com seus músculos faciais?

Alegria

De fato existem muitas emoções positivas diferentes, como a variedade de emoções negativas que acabamos de discutir, mas infelizmente faltam bons nomes para elas. "Felicidade" e "alegria" por enquanto funcionam.

As emoções positivas incluem gostar das impressões sensoriais, como odores ou objetos de beleza, ser entretido por algo ou um simples contentamento. A diferença não é tão indicada no rosto, sendo identificada de modo mais confiável pela voz. A maioria das expressões de alegria de fato tem sons específicos — varia de "gritos de prazer" a "suspiros de alívio". Outras variações de alegria são empolgação, relaxamento e espanto, que experimentamos quando ficamos estupefatos com algo incompreensível. O êxtase é outra emoção do tipo da alegria, como também o sentido de conquista após vencer um desafio árduo, um tipo de alegria e orgulho interior. Existe, ainda, um sentimento que os pais podem experimentar quando os filhos conquistam algo grandioso, uma combinação de alegria e orgulho chamada de *naches* em iídiche. Também há uma emoção relacionada à alegria que não é bem aceita socialmente: prazer em ver o sofrimento dos outros.

Existem emoções importantes para o funcionamento do nosso mundo, pois é o nosso esforço para alcançá-las que nos motiva a realizar coisas que sejam boas para nós. Fazemos amigos e ficamos curiosos sobre novas experiências. As emoções positivas também nos encorajam a executar atividades que são essenciais à sobrevivência da humanidade, como as relações sexuais e o cuidado com os nossos filhos. Além disso, a ciência gradualmente vem apoiando a teoria de que as pessoas com visão otimista da vida na verdade vivem mais!

Há diferenças óbvias entre um sorriso natural e um fingido. Em um sorriso verdadeiro, dois músculos importantes são usados: *zigomático maior*, que eleva os cantos da boca, e *orbicular do olho*, que tensiona a área ao redor do olho. Isso causa um olhar meio apertado, a pele sob a pálpebra inferior é contraída, as sobrancelhas são abaixadas e surgem linhas nas laterais do rosto. Embora possamos controlar o *zigomático maior* conscientemente e elevar os cantos da boca em um sorriso, o mesmo não

Alegria: expressão completa
"Ah, então eles não voltaram a ficar juntos?"

se aplica ao músculo ao redor do olho. O *orbicular do olho* divide-se em uma parte interna e outra externa. A parte externa somente pode ser controlada conscientemente por 10% de todos os seres humanos. E, quando não se movimenta, faz uma diferença clara e visível. Quando esse músculo não é contraído, dizemos "a sua boca está sorrindo, mas os olhos não estão". O fato de sermos capazes de controlar conscientemente o músculo *orbicular do olho* significa, portanto, que o sorriso está incompleto, sendo revelado como uma farsa, e que ele libera a área ao redor dos olhos para outros sinais inconscientes. Um sorriso verdadeiro, as sobrancelhas também se abaixam um pouco, mas ninguém que esteja simulando um sorriso conscientemente abaixa as sobrancelhas. Tente fazer de propósito e você verá que vai parecer alguém que assusta criancinhas por esporte.

Há resultados sugerindo que casais felizes, ao se encontrarem, sorriem e usam os músculos dos olhos, enquanto casais infelizes não usam os músculos dos olhos. Também há relatos de pressão arterial mais baixa e mais sentimento de felicidade naqueles que sorriem com esses músculos. Talvez o *orbicular do olho* externo precise ser acionado para ativar alguns centros de prazer no cérebro, e qualquer um que apenas sorria com a boca estaria perdendo isso.

Podemos localizar sorrisos falsos incrivelmente rápido. Quando treino as pessoas para perceber mudanças rápidas nas expressões faciais, uso uma sequência de imagens para simular microexpressões. Uma dessas imagens sempre confunde as pessoas que fazem o teste. A ideia é que a microexpressão deve ser uma pessoa feliz. Mas a pessoa na foto não é um bom ator, então a alegria só aparece na boca, não nos olhos. Apesar de a foto ser exibida tão rapidamente que a única mudança observada de modo consciente é uma boca muito sorridente, a maioria sente que algo está errado, mas não tem ideia do que seja. As pessoas não percebem que reagiram a uma expressão facial desonesta até que a vejam mais tarde, em uma imagem fixa.

Então, para se garantir ao fingir alegria, você precisa abrir um sorrisão. Assim, quase todas as mudanças controladas pelo músculo do olho ocorrem graças à amplitude do sorriso, já que ele empurra as bochechas para cima e provoca o enrugamento da pele sob os olhos. Isso estreitará o olhar, mostrando rugas na lateral, o que torna muito mais difícil dizer se o sorriso é genuíno ou não. A única pista são as sobrancelhas e a pele sob elas, que são abaixadas pelo músculo externo do olho em um sorriso genuíno.

Emoções mistas

Para concluir, quero mostrar algumas fotos de emoções mistas, nas quais um rosto exibe mais de uma emoção ao mesmo tempo. Isso é muito comum nas expressões faciais usuais. O truque é ser capaz de perceber quais partes vêm de quais emoções, e fazer isso rápido. Mostrarei várias fotos a seguir. Cada uma consiste em elementos de duas emoções diferentes. Tente dizer que emoções são e que partes do rosto estão expressando-as. As respostas estão na página 136. Mas tente primeiro sem colar!

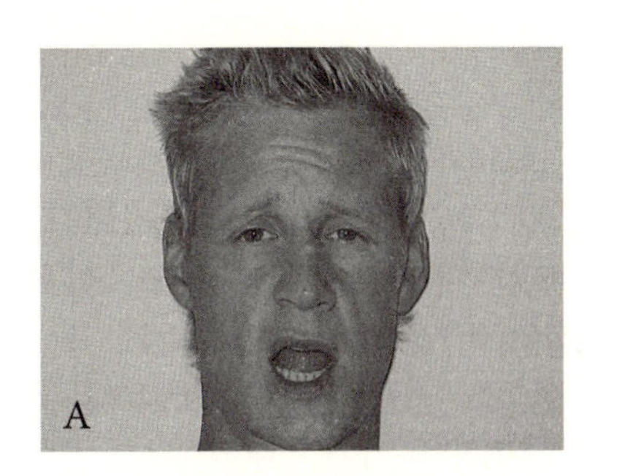
A
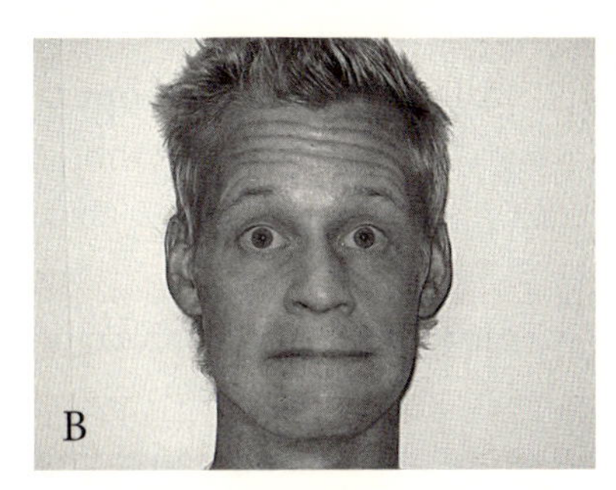
B
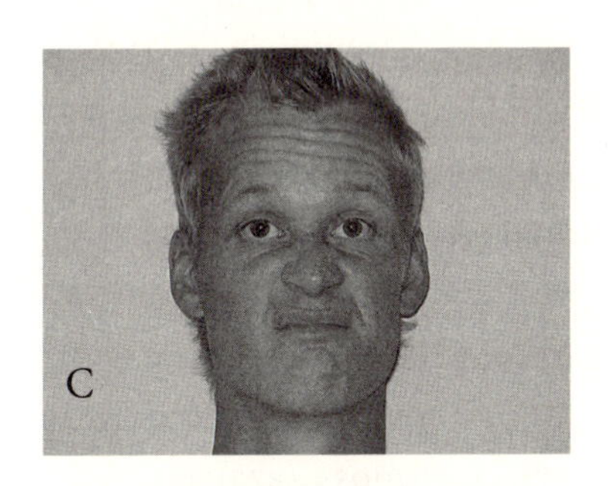
C
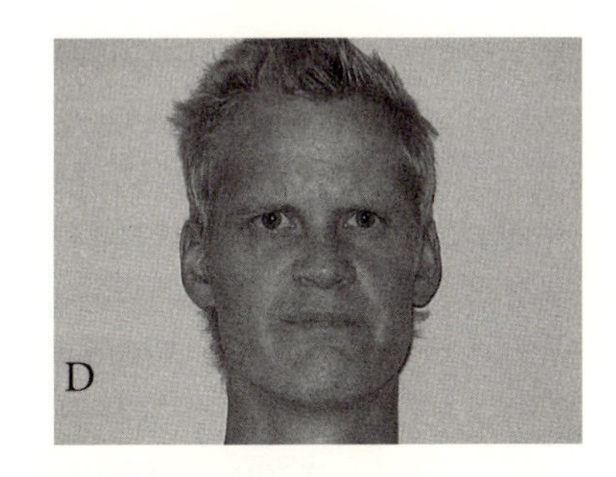
D
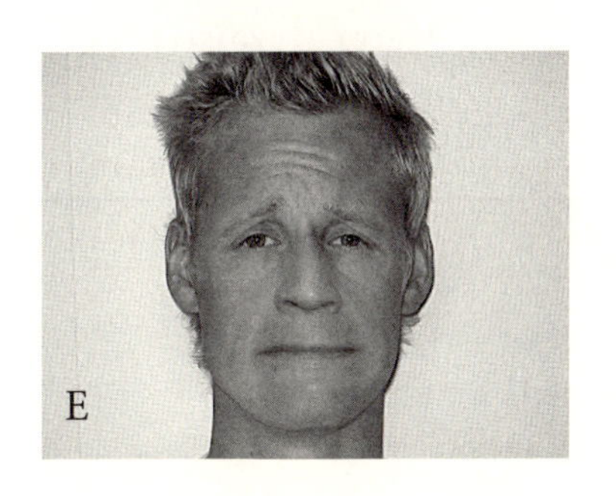
E
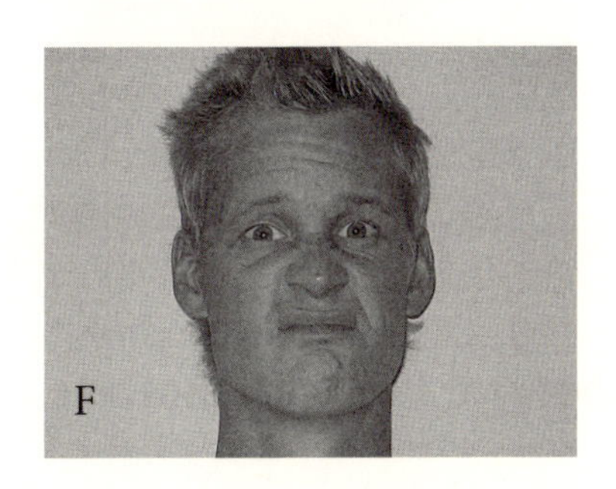
F
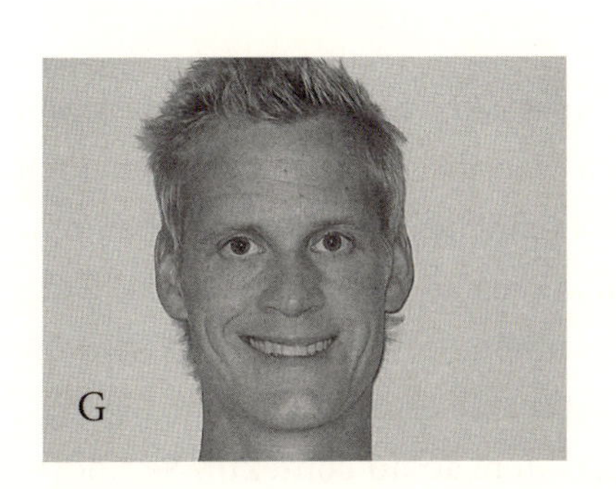
G

H

Respostas corretas

a) Tristeza + raiva.
Tristeza = sobrancelhas, olhos. Raiva = boca.

b) Surpresa + medo.
Surpresa = testa, sobrancelhas, olhos. Medo = boca.

c) Nojo + surpresa.
Nojo = boca, nariz, pálpebras inferiores. Surpresa = pálpebras superiores, sobrancelhas, testa.

d) Raiva + desprezo.
Raiva = sobrancelhas, olhos. Desprezo = nariz, boca.

e) Tristeza + medo.
Tristeza = sobrancelhas, olhos. Medo = boca.

f) Nojo + medo.
Nojo = boca, nariz, pálpebras inferiores. Medo = pálpebras superiores, sobrancelhas, testa.

g) Alegria falsa.
Alegria = boca. Neutralidade = o restante do rosto.

h) Hum... Raiva? Medo? Desesperado para ir ao banheiro?

Socorro! Pessoas emotivas à vista!

Como reagir a emoções que estão começando a surgir

O que você deve fazer ao observar expressões emocionais sutis (como aquelas que você acabou de aprender a reconhecer) na pessoa com quem estiver conversando? No que se refere a emoções sutis, nunca sabemos se a pessoa quer que você conheça ou não o estado emocional dela. Antes de optar por reagir à emoção, você também deve determinar se o que está vendo é uma emoção fraca ou forte que está sendo controlada. O jeito mais fácil de fazer isso é prestar atenção ao contexto. Se notar a emoção logo no início da conversa, a fonte da emoção provavelmente não é o que você está pensando. É mais provável que a pessoa tenha trazido essa emoção com ela. Pode não ter nada a ver com você e provavelmente relaciona-se a algo que aconteceu com ela antes. Mas também pode se tratar das expectativas que ela tem sobre a conversa ou o rumo que o assunto pode tomar.

A maioria das expressões emocionais não dura mais de alguns segundos. A duração depende da intensidade da emoção. Uma expressão breve e intensa que apenas lampeja é uma indicação de que a emoção está sendo consciente ou inconscientemente disfarçada. Uma expressão menos intensa que dure mais, costuma indicar uma repressão consciente da emoção (estamos presumindo aqui que ela não está simplesmente se revelando e dizendo a você como se sente).

Há algumas emoções cuja erupção você deve evitar enfaticamente. Você deve reagir a elas assim que notar os seus sinais, de preferência antes que a própria pessoa as perceba. Para outras emoções, basta reagir indiretamente e conceder a elas um espaço na conversa. Veja algumas estratégias sólidas para reagir a cada uma das diferentes emoções básicas que estivemos analisando (porém, eu omiti surpresa e alegria, já que elas raramente precisam ser "enfrentadas").

Tristeza

A opção de reagir ou não à tristeza de alguém depende do seu relacionamento e da sua comunicação prévia. Todos, até mesmo os seus filhos, precisam de privacidade para conseguir lidar com o que os aborrece, e todos nós precisamos de algum espaço de retiro. Você pode oferecer uma abertura cautelosa à conversa, perguntando se está tudo bem, mas até isso depende do contexto e do relacionamento. O importante é: se você notar algum sinal de tristeza em alguém, leve-o a sério. Esses sinais indicam que algo está acontecendo e que a pessoa precisa de conforto. A única dúvida é se esse conforto deve vir de você ou de outra pessoa, e se deve ser agora ou depois.

Se houver alguém mais próximo à pessoa triste, avise-o. Por causa da relação profissional, pode ser mais difícil para um gerente confortar um funcionário do que para um dos seus colegas. Se for um relacionamento próximo, na sua família ou com seus filhos, esclareça a quem estiver triste que você está disponível para conversar quando a pessoa quiser.

Raiva

Ao observar raiva em alguém, lembre-se de que você não sabe o motivo ou quem é o alvo. Ela não se direciona necessariamente a você. Também é bom lembrar que supostos sinais de raiva na verdade poderiam significar concentração ou confusão. Talvez você não tenha se explicado claramente. Se tiver certeza de que se trata de raiva e desejar reagir à emoção, uma boa ideia é evitar a palavra "irritado". Talvez a pessoa esteja fazendo o possível para guardar seus sentimentos para si mesma, e a última coisa de que precisa é de alguém comentando: "Poxa, você está irritado, hein!" Não são palavras boas.

Uma ideia melhor seria reagir mais tarde, talvez no dia seguinte, quando as emoções não estiverem tão à flor da pele, não exercendo o mesmo impacto sobre a conversa. Se uma negociação ou conversa tiver estagnado e você não conseguir prosseguir porque alguém se descontrolou, é hora de uma pausa para o café. Ou talvez dar um tempo antes de tomar uma decisão.

O jeito mais eficaz de tratar e reverter a raiva de alguém é usar o *aikido* da opinião, que você leu na página 56. "Se eu estivesse no seu lugar, teria reagido exatamente assim, sem dúvida. Açúcar ou leite?" Se não funcionar, pelo menos não permita que ninguém tome decisões nem aja de modo a gerar consequências adiante. Quando sentimos raiva, tendemos a não refletir adequadamente.

Medo

Se você notar que alguém está com medo, comece a tranquilizá-lo. Por exemplo, se precisar transmitir notícias ruins a um funcionário e ele começar a demonstrar sinais de medo, não deixe de frisar que o emprego dele não corre risco ou que você está muito feliz com os esforços dele.

Se tiver deixado alguém abalado, ofereça um suporte onde se apoiar para evitar uma queda.

Se for uma conversa entre amigos íntimos, você pode ser mais direto, dizendo que percebe alguma perturbação e perguntando se ele deseja conversar. Você também pode oferecer segurança e apoio, estabelecendo empatia, ou pode usar contato físico direto se o seu relacionamento for muito íntimo. O abraço é sempre uma boa maneira de oferecer apoio (se for usado do jeito certo — falarei mais a respeito no capítulo sobre âncoras), assim como os seus equivalentes verbais.

Nojo

O nojo costuma ser confundido com raiva. Se alguém começar a exibir indícios sutis de nojo, como uma ruguinha no nariz, provavelmente é sinal de que a emoção acabou de ser acionada. Você deve tentar reagir imediatamente, de modo sutil, sem mencionar a emoção que observou. Você pode perguntar se a pessoa sentiu-se maltratada e se você pode ajudar. Não fique na defensiva porque isso pode provocar uma completa explosão de nojo. Espere para argumentar até que a pessoa tenha acabado de falar. É importante não deixar a situação se cristalizar. Tente reverter esse estado emocional de qualquer maneira. É difícil, porque o que aciona o nojo está profundamente enraizado em nós. Mas lembre-se da pesquisa de Gottman no Laboratório do Amor: se você não conseguir reverter o nojo, o relacionamento pode estar condenado.

Desprezo

Se alguém demonstrar sinais de desprezo, isso pode indicar desprezo por si mesmo, pelo que vocês estiverem discutindo ou por você como pessoa. Caso suspeite que pode ser o alvo, o melhor a fazer é deixar as coisas como estão. Poderia ser o velho desprezo causado pelo sentimento de inferioridade que às vezes é exibido pelos funcionários em relação aos chefes, alunos em relação aos professores e, o que é pior, filhos em relação aos pais. Ou que a pessoa julga saber mais sobre o que está sendo discutido e que você está totalmente enganado.

Quem demonstra desprezo se acha superior a você. Infelizmente, é muito difícil contornar essa situação, não importa o quanto você seja bom em gerar empatia. O melhor é evitar a pessoa daí em diante, se possível. Se for um relacionamento pessoal, não lhe fará bem. Se for alguém que você encontre regularmente em situações de trabalho e cujas decisões afetem o seu trabalho, é melhor deixar que outra pessoa proponha as suas ideias e sugestões nessas reuniões. Você também pode procurar saber se há alguém que ocupe o mesmo cargo, alguém com quem você possa se comunicar diretamente para obter os resultados desejados.

Uma pequena repetição

Você já progrediu muito no seu caminho de leitor da mente. Chegou a hora de fazer uma pausa e pensar sobre tudo o que aprendeu. Você aprendeu a identificar uma gama diversificada de sinais na comunicação inconsciente e silenciosa. Aprendeu a se adaptar ao modo de outra pessoa se comunicar nessas áreas diferentes, a ser capaz de estabelecer uma boa relação no momento certo. Aprendeu a usar esse relacionamento para conseguir uma mudança positiva no comportamento e nas atitudes dos outros. Aprendeu a identificar sentidos primários diversos em pessoas diferentes. Aprendeu sobre as diferenças que os diversos sentidos primários representam no pensamento, na fala e na compreensão das pessoas. Aprendeu a reconhecer mudanças sutis nos músculos faciais, mudanças que revelam os vários estados emocionais em que alguém está entrando, e como isso alterará o modo que ele vivencia o encontro entre vocês. Aprendeu como desviar de emoções negativas quando necessário.

Você aprendeu tudo isso. Pelo menos teoricamente.

O que sugiro agora é ter certeza de que você aprendeu tudo isso também na prática. Deixe o livro de lado. Saia e pratique a leitura de mentes. Persista! A segunda metade deste livro pressupõe que você é capaz de fazer tudo o que leu até agora. Para motivá-lo mais, contarei uma historinha da vida real e espero esclarecer como o conhecimento dessas técnicas pode fazer diferença.

Capítulo 6

Um interlúdio onde contarei o que pode acontecer quando você usa ou não os seus conhecimentos de leitura da mente.

NUNCA É TARDE DEMAIS

Um conto moral sobre a importância de ler mentes

Há mais ou menos um ano fui o mestre de cerimônias em uma conferência de um dia na Suécia. Vários seminários diferentes estavam ocorrendo ao mesmo tempo, todos com cronogramas diversos, então havia muito o que fazer e eu estava muito ocupado. Cheguei para almoçar bem depois dos outros participantes. Vi um homem que estava sozinho, ainda comendo, e sentei-me com ele. Assim que sentei, comecei a contar um incidente engraçado que havia ocorrido naquele mesmo dia. Parei abruptamente ao ver a reação dele: ele estava me encarando com uma expressão de extrema reprovação. Eu me senti um inseto na mira daquele homem. Eu poderia ter parado ali mesmo e almoçado em silêncio, mas eu não era só o mestre de cerimônias: eu iria me apresentar naquele mesmo dia. Achei uma péssima ideia permitir que alguém do público ficasse contra mim tão cedo.

Percebi que havia cometido um pecado mortal ao não prestar atenção a quem de fato estava sentado à mesa. Não prestei atenção direito. Eu simplesmente havia ido em frente e começado a falar sobre mim mesmo sem me importar em descobrir com quem estava falando. Agora que eu estava observando o homem, pude notar que ele tinha todos os atributos clássicos da cinestesia: exibia uma estrutura poderosa, vestia uma camisa de flanela e tinha até barba. O fato de estar sentado e comendo sozinho confirmou a minha observação, pois calculei que ele comia mais devagar que os outros, no ritmo de um cinestésico. E lá estava eu, apressado, tentando atrair o interesse dele com uma anedota extremamente visual. Não era de se surpreender que não tivesse funcionado.

Então eu continuei comendo por alguns minutos, ao mesmo tempo em que comecei a estabelecer empatia, acompanhando a linguagem corporal e o ritmo dele (que era, previsivelmente, muito mais lento do que o meu). Ao notar que as sobrancelhas abaixadas e contraídas que ele havia exibido ao me encarar tinham sumido, fiz algumas perguntas de controle para verificar se ele realmente era cinestésico. A minha voz seguia o ritmo dos movimentos dele. Perguntei se ele estava gostando da comida e o que estava achando da conferência. Depois, repeti a mesma história. Desta vez, porém, esforcei-me para usar tipos diferentes de palavras ao contar e acentuar, também, os elementos que eu percebi que ele acharia mais importantes. Parei de descrever a bela curva que um objeto havia traçado enquanto planava no ar. Por outro lado, enfatizei bem como me senti quando o objeto bateu na parte de trás da minha cabeça. Desta vez a história foi um sucesso. Quando terminamos o almoço, estávamos nos dando muito bem.

Isso deve ter parecido muito estranho a um observador, porque, superficialmente, não havia muita diferença. Na primeira vez eu contei a história e recebi um olhar irritado. Pouco tempo depois, eu repeti a mesma coisa e fui recompensado com aprovação.

Eu havia usado o meu conhecimento sobre empatia, impressões sensoriais e expressões sutis de emoção para transformar, em apenas poucos segundos, uma situação desconfortável em um bom relacionamento. Simplesmente parei de pensar sobre mim mesmo e prestei atenção no outro cara. Nunca é tarde demais para conseguir empatia, nem mesmo quando as coisas já tiverem começado com o pé esquerdo. Sorte a minha, porque aquele homem era o diretor-gerente da empresa que havia me contratado para a conferência.

> Como é mesmo?
> Se eu for igual a você, você me entenderá e gostará de mim.
> Se você gostar de mim, desejará concordar comigo.

Capítulo 7

Aqui você aprenderá a reconhecer sinais de pressão nas pessoas, riremos do nariz de Bill Clinton e um aluno fará um sinal obsceno.

SEJA UM DETECTOR DE MENTIRAS HUMANO

Sinais contraditórios e o que significam

Neste capítulo e no próximo, quero discutir dois casos especiais de "comunicação silenciosa prática". Existem certos sinais inconscientes que apenas mostramos em certas situações. O próximo capítulo falará sobre atração. Você ficará espantado com o que a sua mente inconsciente apronta quando acredita ter encontrado um parceiro adequado aos seus genes (ou seja, alguém atraente). Mas, antes disso, analisaremos um tópico diferente e interessante: as mudanças visíveis em nossa comunicação silenciosa quando tentamos mentir.

Na qualidade de leitor de mentes, naturalmente é importante conseguir perceber quando alguém está mentindo para você. Você já aprendeu a identificar certos tipos de sinais falsos, já que aprendeu a diferenciar uma expressão facial falsa de outra genuína. Como poderá observar, contudo, quando o assunto é a mentira, isso é só o começo.

O jeito mais fácil de mentir é com palavras, pois é isso que praticamos a vida toda. Não somos tão bons em mentir com as expressões faciais, embora já tenhamos um pouco de prática nessa área também. O pior de tudo é mentir com o corpo. A maioria de nós provavelmente nem pensou no fato de que o nosso corpo realmente "fala" muito também. Então é irônico prestarmos mais atenção ao que alguém nos diz, dando menos importância às expressões faciais.

Se suspeitarmos que alguém possa estar mentindo, ficaremos ainda mais concentrados no que está sendo dito — quando deveríamos fazer o oposto. Se quisermos saber o que alguém está realmente nos falando, devemos nos preocupar menos com as palavras ditas e mais com o que ele estiver expressando com o resto do corpo e o tom de voz.

Mas realmente é possível perceber quando alguém está mentindo? Sim e não. Podemos detectar certos sinais demonstrados para certos tipos de mentiras, que envolvem certo nível de estresse emocional. Então o que normalmente veremos é alguém estressado ou nervoso, não alguém mentindo de forma propriamente dita. Mas às vezes esses sinais são tudo o que precisamos para deduzir se alguém está dizendo inverdades. Também há alguns sinais que somente aparecem quando alguém está mentindo. O segredo é encontrá-los.

Algumas pessoas são ótimas para detectar se alguém está tentando enganá-las e outras nunca aprendem a fazê-lo. E, é claro, alguns são mentirosos natos e não dão nenhuma pista (os melhores tendem a ser psicopatas), enquanto outros nem sequer conseguem mentir sobre a quantidade de biscoitos que comeram sem dar bandeira. Somos todos diferentes, mas a maioria de nós exibe vários desses sinais e também pode melhorar a habilidade de identificá-los.

O que é a mentira?

A arte de detectar mentiras fascina muita gente, especialmente quem é policial, militar e aqueles que trabalham na justiça. Como o detector de mentiras clássico — o polígrafo — é tão pouco confiável[1], os pesquisadores da mentira (um deles é Paul Ekman, que mencionei antes) esforçam-se muito para identificar os sinais que poderiam revelar uma mentira. E eles têm progredido muito. Mas o que realmente queremos dizer ao usar a palavra "mentira"?

---

1. Os polígrafos não necessariamente são pouco confiáveis. O problema é: sempre é preciso que alguém venha depois e interprete os resultados. E é aí que pode dar errado, porque qualquer interpretação não passa de uma opinião pessoal. O polígrafo é ótimo como "a máquina que dispara o alarme". O problema é entender o que significa esse alarme.

A maioria de nós mente o tempo todo, no sentido de que aquilo que dizemos não representa precisamente a verdadeira situação. A maioria das mentiras na sociedade é trivial, porém, e as nossas regras sociais pressupõem um grande número de mentiras triviais. Se perguntarem: "Tudo bem com você?", em geral responderemos: "Bem, obrigado, e você?", mesmo quando não estivermos nada bem. Sabemos que quem pergunta na verdade não está interessado em uma descrição detalhada do nosso estado e está simplesmente usando a pergunta como uma frase de saudação.

Em algumas situações, precisamos mentir e não demonstrar os nossos reais sentimentos. Em um concurso de beleza, o vencedor pode chorar e ficar emocionado, enquanto os perdedores devem mostrar o quanto estão felizes pelo vencedor e ser fortes diante da derrota. Se todos mostrassem como realmente se sentem, provavelmente veríamos os finalistas aos prantos e o vencedor rindo e pulando de alegria. Ocultar as emoções ou fingir sentir algo que não se sente é outra forma de mentira.

É claro que não estamos interessados nesses tipos de mentiras permissíveis. Os tipos de mentiras que nos interessam são aquelas em que alguém mente em um contexto onde não é permitido mentir em termos socioculturais e o motivo da mentira é obter vantagem pessoal. Isso também significa que a mentira deve ser consciente: o mentiroso precisa saber que aquilo que diz não descreve corretamente a realidade. Lembre-se: a mentira pode ser uma declaração, mas também pode ser uma questão de quais emoções demonstramos ou não. Se eu lhe disser que venci uma partida de tênis que de fato tenha perdido, estou mentindo. Mas, se eu demonstrar que estou feliz em atos e expressões faciais quando de fato estou triste, estou mentindo também.

Quando alguém mente, sempre existe uma recompensa e/ou uma punição envolvidas, o que motiva a mentira. Você mente para conquistar uma recompensa que não conquistaria de outro jeito ou para evitar uma punição que está a ponto de receber. Também pode ser a combinação de ambos: você mente para conquistar uma recompensa à qual de fato não tem direito, como o apreço de alguém, mas, se a mentira for descoberta, você pode ser punido com o fim do relacionamento.

Sinais contraditórios

Os sinais detectáveis da mentira são demonstrados quando a recompensa ou a punição envolvidas não são triviais, então na verdade algo está em jogo para o mentiroso, e ele realmente se importa com o êxito ou o fracasso da mentira. Então, quem está tentando mentir também está emocionalmente empenhado na farsa, e é esse compromisso com a mentira que suscita muitos dos sinais que um leitor de mentes procura. Identificar os sinais é um ponto, mas o problema de saber o que eles significam continua.

Existem duas mensagens opostas em qualquer mentira: a verdade e a falsidade. A palavra "mentira" concentra-se na falsidade, mas ambas são de fato relevantes. A habilidade de distingui-las também é importante. Como estamos sempre revelando mensagens diferentes em toda a nossa comunicação, não apenas com as nossas palavras, a mentira é, de fato, uma tentativa mais ou menos bem-sucedida de controlar essas mensagens. Do mesmo modo como examinamos as expressões faciais, a mentira é uma tentativa de esconder ou mascarar certa mensagem sob outra. A capacidade de perceber se alguém está mentindo é uma questão de prestar atenção aos elementos da nossa comunicação que não temos muita habilidade para controlar. Quem diz a verdade expressa a sua comunicação conscientemente controlada do mesmo modo como manifesta as suas expressões inconscientes. Mas, se conseguirmos detectar alguma desarmonia no que é expresso, entre o que as mãos e as palavras comunicam, por exemplo, poderemos suspeitar que há duas mensagens diferentes envolvidas. Procuramos *sinais contraditórios*, indícios inconscientes que falem outra coisa além da mensagem expressa conscientemente. Os sinais difíceis de controlar evidenciam os nossos verdadeiros pensamentos e sentimentos.

Robert Trivers, psicólogo evolutivo americano, tem uma solução para o problema dirigida a quem deseja ser capaz de mentir livremente. O segredo é simplesmente convencer-se de que a sua mentira é verdade! Assim, todos os sinais, conscientes e inconscientes, expressarão genuinamente uma única mensagem. Você não será descoberto até a hora de comer aquele último biscoito que escondeu e jurou nunca ter roubado — se você não acreditar mais que o roubou.

Os sinais inconscientes e contraditórios que um mentiroso demonstra se chamam vazamento. Quando alguém mente ou tenta esconder os próprios sentimentos, haverá um vazamento em inúmeras áreas diferentes. Mas tome cuidado: certas pessoas não exibem nenhum vazamento, apesar de mentirem. Então não interprete a ausência de vazamentos como garantia de que alguém esteja falando a verdade. Também há algumas pessoas que parecem estar exibindo algum vazamento, mas que de fato estão se comportando normalmente. Por isso é importante saber se os sinais que você detectar são *mudanças* no comportamento de alguém e não o comportamento normal dele. É interessante observar vários tipos diferentes de vazamento em alguém antes de decidir se ele está mentindo ou ocultando as emoções.

Depois de ter observado vários sinais contraditórios em uma pessoa, isso pode indicar que ela está mentindo, mas também que está de fato sentindo uma emoção diferente daquela que está tentando demonstrar. Em geral você não terá problema para decidir qual é a situação. O contexto em que os sinais forem observados esclarecerão.

Você também deve lembrar que, embora tenha observado vários desses sinais, não se sabe necessariamente o que os causou. Como veremos adiante, eles podem ser causados por coisas completamente diferentes do fato de que a pessoa está mentindo. Você pode ver vários vazamentos em alguém, mas eles podem ser motivados por algo que ele acabou de pensar e que nada tem a ver com a conversa de vocês. Ao descobrir esses sinais, o seu próximo passo é considerar o contexto e quaisquer outros eventuais motivos possíveis para o comportamento antes de afirmar com segurança que alguém está mentindo.

Por que você está coçando o nariz?

Sinais contraditórios na linguagem corporal

O sinal mais óbvio entre todos esses sinais contraditórios é dado pelo próprio sistema nervoso autônomo do corpo. Não temos a habilidade de controlá-lo, mesmo se descobrirmos que estamos dando sinais através dele. É muito difícil, até impossível, parar de suar ou deixar de ficar vermelho de repente, ou evitar que as pupilas dilatem ao sortear uma carta boa na mesa de pôquer. O problema é que o sistema nervoso autônomo é ativado apenas quando as emoções são muito fortes. Felizmente há muitos outros sinais e vazamentos que aparecem mesmo quando as emoções são mais amenas.

O rosto

Costuma-se dizer que o rosto transmite duas mensagens: o que desejamos projetar e o que de fato pensamos. Às vezes os dois são a mesma coisa, mas frequentemente não são. Quando tentamos controlar a mensagem que projetamos, fazemos de três maneiras:

Qualificação

Comentamos a expressão facial que temos, acrescentando outra. Por exemplo, acrescentando um sorriso a uma expressão triste para mostrar a todos que superaremos a situação.

Modulação

Mudamos a intensidade da expressão para enfraquecê-la ou fortalecê-la. Fazemos isso controlando o número de músculos envolvidos (como fazemos quando exibimos uma expressão facial *parcial*), a intensidade que aplicamos a esses músculos (como fazemos quando exibimos uma intensidade completa, porém baixa, que é uma expressão *suave*) e a duração usada para exibir a expressão.

Falsificação

Podemos exibir uma emoção quando na verdade não estamos sentindo nada (*simulação*). Podemos tentar não revelar nada quando de fato estamos sentindo algo (*neutralização*) ou podemos encobrir a emoção que estamos sentindo com outra emoção que não estamos sentindo (*mascaramento*).

Para ser capaz de fingir uma emoção de modo convincente, precisamos saber como expressá-la, ou seja, quais músculos usar e como usá-los. As crianças e os adolescentes praticam isso fazendo caretas diante do espelho, mas tendemos a parar quando crescemos. Por esse motivo, às vezes temos uma ideia ruim da nossa aparência real ao expressar várias emoções. Geralmente tampouco temos tempo para nos preparar e precisamos usar como base a maneira como nos sentimos por dentro, esperando chegar perto o bastante da imagem desejada.

Neutralizar, não expor absolutamente nada, é muito difícil, especialmente quando se trata de algo com o qual nos importamos e que nos provoque uma emoção forte que desejamos manter oculta. Isso nos enrijecerá tanto a ponto de ficar óbvio que estamos escondendo algo, mesmo que ninguém consiga perceber o que é. Então preferimos o caminho mais fácil, ocultando-o, fingindo sentir algo diferente da nossa emoção genuína. Ao tentarmos controlar as nossas expressões faciais tendemos a usar apenas a parte inferior do rosto, como você já deve saber. Isso significa que a área ao redor dos olhos, sobrancelhas e testa é livre para demonstrar as nossas verdadeiras emoções, o que fazemos inconscientemente. Mesmo quando nos esforçamos para sorrir, o nariz pode se enrugar de nojo (Mat-Tina, lembra?). Você acabou de ler o capítulo sobre emoções e aprendeu o que significam os sinais dos nossos olhos, sobrancelhas e testa, não importa o que tentemos expressar com a boca, então não repetirei essa parte.

A máscara que mais usamos para ocultar as nossas emoções é o sorriso. Darwin, que escreveu muitas coisas interessantes sobre os músculos faciais e a linguagem corporal, sugere uma teoria que justifica isso. Ele afirmava que geralmente tentamos mascarar as emoções negativas e que o uso dos músculos no sorriso é a expressão mais distante das expressões negativas.

Na página 132 mostrei como diferenciar um sorriso falso de um genuíno. Um sorriso genuíno é sempre simétrico, os dois cantos da boca sobem proporcionalmente (se a pessoa não tiver nenhuma lesão muscular facial). Jamais é assimétrico. Um sorriso falso pode ser simétrico ou assimétrico, podendo ocorrer apenas em um lado do rosto. Se você observar um sorriso torto, significa que é uma tentativa fracassada de parecer feliz (lembra de Göran Persson?) ou parte de uma expressão diferente, como nojo ou desprezo (de novo Göran Persson). Um sorriso verdadeiro também usa tanto a parte externa quanto a interna da área ao redor dos olhos, o que é quase impossível de fazer conscientemente.

Os atores que conseguem projetar um sorriso natural, inclusive com os olhos, geralmente o fazem lembrando-se de uma memória positiva, o que os deixa genuinamente felizes. Expressões forjadas de alegria também podem ser detectadas por uma duração inadequada. Elas surgem rápido demais. Uma expressão genuína de alegria pode levar pouco tempo até terminar, enquanto uma falsa tende a ser exibida por tempo demais.

Microexpressões também podem aparecer nessas situações. Pessoalmente acredito que as microexpressões desempenham uma função importantíssima quando desconfiamos de alguém. Se sentirmos que uma pessoa não gosta de nós, apesar de ser aparentemente educada, é provável que a nossa desconfiança tenha sido causada pela linguagem corporal e outra comunicação inconsciente que tenhamos captado. Mas também é possível que tenhamos notado uma microexpressão que nos revelou o que a pessoa realmente pensa a nosso respeito. Pode ter sido rápido demais para ser notado conscientemente, mas o inconsciente tem muito tempo para registrar.

As microexpressões sempre são um vazamento confiável. Algumas pessoas, porém, não as demonstram, enquanto outras as fazem em apenas certas situações, etc. A ausência de microexpressões não garante que alguém esteja tentando suprimir uma emoção, se é disso que você suspeita. Nesse caso, você precisará procurar sinais em outro lugar.

Os olhos

Normalmente acredita-se ser possível saber se alguém está mentindo pela observação dos olhos. Achamos que olhos evasivos, piscar com frequência e olhar ou não nos olhos são sinais de que alguém está mentindo. Não está necessariamente errado, mas, como todo mundo já ouviu isso, é muito comum que alguém que esteja mentindo na verdade olhe você nos olhos mais do que o normal! Como ouvimos desde crianças que um mentiroso não ousará fazer contato ocular, é provável que o mentiroso compense isso em demasia.

Podemos ter estados de ânimo em que os nossos olhos se desviam naturalmente. Olhamos para baixo quando estamos tristes, abaixamos a cabeça ou viramos o rosto ao sentir vergonha ou culpa e viramos a cara explicitamente quando reprovamos alguém. Um mentiroso não agirá assim com medo de se expor como mentiroso(!). Os melhores mentirosos evitam a detecção, sabendo exatamente quando desviar o olhar.

Outro fator que tem a ver com os olhos é o tamanho das pupilas. Como já mencionei, as pupilas dilatam quando sentimos emoções como agrado ou interesse. Tente descobrir se o tamanho das pupilas corresponde às emoções que a pessoa em questão afirma sentir. Uma pessoa ativamente interessado em algo não deve ter pupilas diminutas, a menos que o sol esteja incidindo sobre os seus olhos.

Quando alguém que está mentindo ou sob pressão emocional pisca, os olhos em geral permanecem fechados por mais tempo que em alguém que esteja falando a verdade. Desmond Morris, zoólogo britânico que estudou o comportamento humano, observou esse fenômeno nos interrogatórios policiais e afirma que é uma tentativa inconsciente de se esconder do mundo.

O modo como movemos os olhos também pode indicar os pensamentos que passam pela nossa cabeça. Em geral, usamos as nossas memórias ao pensar, mas também somos capazes de construir com a nossa imaginação eventos novos que nunca vivenciamos. É o que acontece ao sermos criativos, planejarmos o futuro, inventar histórias etc. Você se lembra do modelo EAC para os movimentos dos olhos e as impressões sensoriais? Confira nas páginas 75 e 76 se tiver esquecido. Ele diz que os nossos olhos executarão movimentos diferentes, dependendo do fato de estarmos construindo um pensamento ou lembrando algo. Constantemente construímos pensamentos e, às vezes, a construção significa que estamos mentindo. Se uma pessoa visual contar algo que afirma ter feito ou experimentado, mas os olhos dela de repente forem para o alto e para a direita, em vez de irem para a esquerda, de acordo com o modelo, isso indicaria que ela está construindo um pensamento. Você precisará se perguntar se há algum motivo para essa pessoa usar a criatividade e a imaginação no contexto. Se ela disser "Tive que trabalhar até tarde e, como eu me atrasaria para o jantar de qualquer maneira, comi uma pizza e tomei uma cerveja com o Josh, mas depois vim direto para casa" Se você observar uma construção de pensamento ocorrendo quando ela fala "comi uma pizza e tomei uma cerveja com o Josh", é melhor ter cautela. Obviamente existe algum problema nessa afirmativa. Talvez você esteja sendo vítima de uma mentira deslavada.

Talvez por isso exista o clichê sobre mentirosos terem medo do contato ocular. De acordo com o modelo EAC, os olhos se movem quando uma mentira é construída, o que dificulta a retenção do contato ocular pelo mentiroso, pois isso exigiria que ele olhasse diretamente para a frente. Por outro lado, contar a alguém uma memória que você tem enquanto olha diretamente para a frente (e mantendo o contato ocular) em geral funciona, já que essa posição ocular permite visualizar memórias anteriores.

Mas atenção: isso apenas funcionará se você conseguir observar a pessoa no ato da construção da mentira enquanto ela estiver sendo falada. Se a pessoa tiver tido tempo para se preparar para a mentira, ou seja, construí-la antes, talvez você não veja nenhuma diferença no movimento dos olhos, já que a mentira tornou-se uma *memória*, ainda que o conteúdo seja imaginário. E, finalmente, lembre-se de que esse modelo não funciona para todos. Há várias exceções. Então, antes de mandar alguém ir dormir no sofá, tenha certeza de que você realmente é capaz de diferenciar entre lembrança e construção.

Exercício de construção

Observei que para muita gente o modelo EAC não se aplica completamente. Mas todos fazem alguma mudança pessoal no próprio comportamento ou nos movimentos dos olhos que indica estarem construindo mentalmente uma ideia.

Você pode praticar o exercício seguinte para melhorar a sua capacidade de perceber alguém fazendo uma construção visual:

1° passo
Peça para a pessoa visualizar algo, como no exercício anterior com a *Mona Lisa*. Dê bastante tempo para ela criar uma imagem completa na mente, o que também dará a você a oportunidade de observar os movimentos dos olhos dela.

2° passo
Agora peça para a pessoa imaginar uma versão nova dessa imagem, uma que não exista. A *Mona Lisa* pintada por uma criança de 5 anos, por exemplo. Mais uma vez, dê tempo suficiente para a pessoa se envolver na tarefa e construir a imagem do modo mais detalhado possível. Enquanto isso, observe se ela segue ou não o modelo EAC e se você consegue encontrar quaisquer outros sinais de construção.

3° passo
Fique à vontade para repetir o exercício e saber se as mudanças que observou são parte do comportamento usual da pessoa, e não eventos casuais (mas lembre-se de usar uma figura diferente na segunda vez! Caso contrário, não haverá construção no 2° passo, já que a pessoa pode simplesmente recordar a sua memória construída previamente).

Mãos

Quanto mais nos afastamos do rosto, mais fácil é mentir com os nossos sinais silenciosos, já que o resto do corpo não está tão fortemente ligado aos centros emocionais do cérebro e está mais sob o nosso controle. Ainda bem que nos esquecemos de fazer isso. Ou seja, de mentir com eles. As mãos são um meio-termo: somos muito conscientes delas, já que as vemos na maior parte do tempo, mas elas também fornecem um número enorme de sinais inconscientes.

Certos tipos de gestos das mãos são chamados de *emblemas*. Funcionam exatamente do mesmo jeito que as palavras: são gestos específicos, com significados específicos, conhecidos por todos os membros de certa cultura. Um exemplo é o gesto consagrado por Winston Churchill, em que o indicador e o dedo médio se estendem, com a palma virada para a frente. Na maior parte do mundo ocidental, esse sinal é reconhecido como "V de vitória". Mentir com esse tipo de gesto não é problema, é claro. Não faz mal exibir o sinal da vitória quando alguém pergunta se o seu time ganhou uma partida que na verdade tenha perdido feio.

Mas, às vezes, usamos esses tipos de gestos inconscientemente, em um tipo de linguagem corporal equivalente ao ato falho freudiano. Quando esses gestos surgem como um lapso inconsciente, são um bom indicador dos reais sentimentos de alguém pelo simples motivo de serem inconscientes. Porém, podem ser difíceis de perceber, já que costumam aparecer em posições corporais inusitadas se comparados ao uso comum. Um exemplo é o gesto que Paul Ekman descobriu ao reunir vários alunos em uma entrevista com um professor extremamente antipático. O gesto inconsciente que descobriu em vários casos foi o punho com o dedo médio estendido. Sim, aquele gesto fatídico... Mas, em vez de ser um ato consciente, com o punho erguido, a mão estava sobre o joelho, com o dedo apontado para o chão. Sem dúvida um sinal de forte desagrado, embora a pessoa estivesse totalmente inconsciente de tê-lo feito.

Outro gesto inconsciente comum é dar de ombros, que executamos conscientemente para demonstrar que não sabemos, não temos uma opinião formada ou não nos importamos. Mas, em vez de erguer os ombros, levantar as mãos e virar as palmas para fora na altura do peito, como normalmente fazemos, o dar de ombros inconsciente acontece com os braços esticados pendendo para baixo. O movimento do ombro fica de fora, ou é mínimo, e os traços do emblema que vemos são as mãos virando para cima ou para fora na altura da cintura.

Outros tipos de movimentos com as mãos são aqueles que usamos para esclarecer o que estamos falando ou ilustrar um conceito abstrato.

Como, por exemplo, quando desenhamos um quadrado no ar com o dedo e dizemos "era totalmente quadrado". Todos usam as mãos assim ao falar, ainda que fatores culturais e pessoais determinem a frequência e a intensidade de tais gestos. Na Escandinávia não usamos muito as mãos ao falar, enquanto os italianos são os grandes mestres dos gestos com as mãos. Mas todos usam de uma forma ou outra, e na verdade somos muito dependentes desse tipo de gesto para entender os outros, embora raramente observemos de modo consciente o que os outros fazem com as mãos.

É impossível comunicar-se com uma pessoa que ilustre as próprias palavras com gestos das mãos equivocados. Quando dou aulas, costumo exemplificar isso fazendo contato visual com alguém e perguntando que horas são, enquanto aponto para a janela com a mão. A resposta invariavelmente é "Hãããã???", ainda que a pergunta literal seja tão simples de responder. Mas há ocasiões em que os nossos gestos com as mãos são mínimos: quando estamos muito cansados. Ou muito tristes. Ou muito entediados. Ou quando realmente precisamos pensar sobre o que estamos dizendo. E. Pensar. Sobre. Cada. Palavra. Com. Atenção. Como acontece quando mentimos.

A construção de pensamentos novos é um processo interno exigente. Quando precisamos nos concentrar nele, as nossas expressões externas ficam enfraquecidas. Os gestos com as mãos são expressões muito distintas e a falta deles é sempre óbvia.

Quando pergunto como podemos notar se uma pessoa está mentindo, sempre tem alguém que menciona que os mentirosos coçam o nariz. É verdade que gestos com as mãos em direção ao rosto aumentam quando se mente, porém o mais comum não é coçar o nariz. Isso fica em segundo lugar. O gesto mais comum é cobrir a boca, como se quisesse impedir a mentira de sair ou como se você sentisse vergonha do que está prestes a dizer. É provável que todos os outros gestos com as mãos em direção ao rosto — ajustar os óculos, puxar o lóbulo da orelha, coçar o nariz — na verdade sejam o mesmo gesto básico que foi desviado da boca para fazer algo menos suspeito.

Eu soube que Bill Clinton coçou o nariz 26 vezes durante o depoimento do Caso Lewinsky. E não pense que isso foi observado só pelos olhos de lince dos especialistas em linguagem corporal. Se você digitar "nariz do Clinton" nas imagens do Google, verá isto:

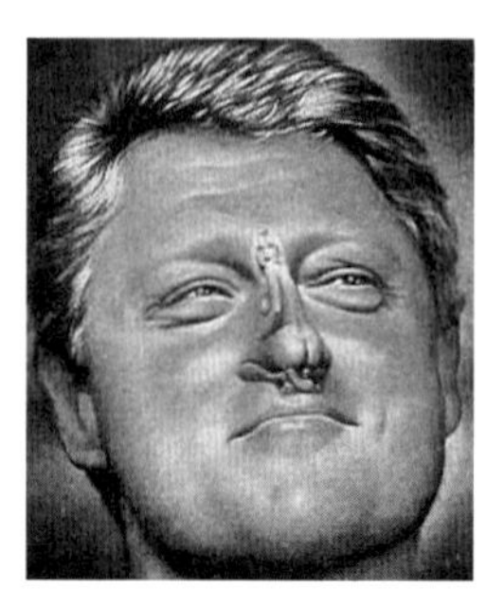

Clinton massageou tanto o nariz na televisão que os seus assessores de imprensa tiveram de pedir para ele parar, já que os índices estavam mostrando que ele estava perdendo a credibilidade ao ficar coçando o nariz o tempo todo.

Também é possível ver esse tipo de movimento da mão em pessoas que estão simplesmente ouvindo alguém. Em geral cobrimos a boca quando temos dúvida sobre algo que está sendo dito ou quando achamos que não estão dizendo a verdade. É fácil imaginar uma pessoa surpresa pensando: "Não acredito!" com olhos arregalados e cobrindo a boca com a mão. Se observar esse comportamento em alguém, é hora de se esforçar para ser mais claro e confirmar a veracidade da sua fala. Se você estiver dizendo a verdade, tudo bem. Se não estiver, o seu nariz pode começar a coçar...

Assim como todos os outros sinais de mentira, o fato de alguém coçar o nariz não necessariamente indica algo além de um nariz que coça. Mas, se acontecer repetidamente, pode ser uma boa ideia começar a procurar outros sinais de mentiras ou emoções ocultas.

O resto do corpo

Você também deve prestar atenção a outras coisas, como postura, pernas e pés. A postura de uma pessoa interessada causará a impressão de estar alerta, é claro, enquanto uma pessoa desinteressada não consegue evitar ficar um pouco recuada. Se durar muito, acabamos nos recostando em uma parede ou na borda de uma mesa até perceber o quanto parecemos entediados, então tentamos mudar a situação, tossindo e ajustando a nossa postura de modo bastante óbvio.

Somos péssimos para perceber quais sinais estamos revelando com as pernas e os pés, provavelmente porque passamos muito tempo com as pernas escondidas sob mesas e porque aprendemos a somente olhar para o rosto das pessoas, ignorando o resto.

Um exemplo clássico de sinais contraditórios seria um agente de viagens que levou 40 minutos vendendo um pacote de férias de 120 dólares a um jovem casal de namorados, mas ficou pensando em todos os outros pacotes que poderia ter vendido por muito mais se esses garotos não o tivessem prendido. Inconscientemente, ele fica chutando na direção deles, sob a mesa, o que é um sinal obviamente agressivo. Ou a garota tímida em um encontro romântico, tentando parecer à vontade, mas que, sob a mesa, fica com uma perna cruzada sobre a outra.

Atos falhos gestuais

Várias situações podem causar tensão nervosa ou estresse. Às vezes isso é natural, por exemplo, quando vamos a uma entrevista de emprego importante, proferimos um discurso em uma grande festa, nos sentimos chateados e inquietos, quando estamos para ter o primeiro filho, começamos na escola ou coisas assim. Isso se chama "sentir um frio na barriga".

Outra coisa que também pode causar tensão nervosa, estresse e ansiedade é mentir sobre algo importante. Quando estamos nessa situação, carregamos muita energia e ansiedade que precisam encontrar uma válvula de escape. Se tentarmos não demonstrar nada e nos concentrarmos em ficar completamente relaxados, no fim começaremos a tremer. Podemos até desmaiar se ficarmos tão tensos assim. Então é melhor nos ocupar fazendo algo. Existe um certo tipo de ação que é como um sistema de escape para a ansiedade e os nervos: atos falhos gestuais. Esse tipo de ação é um sinal claro de que alguém está vivenciando muitos conflitos internos ou tensão. Atos falhos gestuais são ações pequenas, repetitivas e sem sentido. Por exemplo, ficar abrindo e fechando uma caneta, rasgando papel em pedacinhos ou batendo com os dedos na mesa. Algumas pesquisas indicam que temos uma grande necessidade de manter as mãos constantemente ocupadas, portanto às vezes é difícil determinar se o comportamento observado em alguém é ou não um ato falho gestual. Por isso, é importante confirmar se é um ato recorrente e repetitivo (circular).

Alguém que tenha conseguido encontrar um bom ato falho gestual para se ocupar pode parecer calmo como um lago em todos os outros aspectos. Ele pode até nem saber por que arrumou todos os palitos de dente no frasco. Mas você consegue perceber que é um sinal de forte estresse interno. O que você precisa descobrir é se está certo disso.

Os aeroportos do mundo todo têm funcionários que circulam pela área procurando exatamente esses sinais nos passageiros para identificar aqueles que têm medo de voar, mas tentam escondê-lo, pois ele poderiam causar problemas durante o voo. Geralmente ficam na área de fumantes ou, se não houver área de fumantes, fora do terminal. (E, desde o ataque de 11 de setembro, os passageiros nervosos são vistos em uma dimensão completamente diferente em vários países.) O cara de terno que sacode a cinza do cigarro mais do que necessário. A senhora sofisticada que quebra todos os fósforos, um por um, antes de jogá-los no cinzeiro. O ato de fumar em si, é claro, às vezes é um ato falho gestual muito óbvio se parecer mecânico, um cigarro atrás do outro, em vez de um breve momento de prazer para o fumante. Em uma conversa, o relações-públicas do aeroporto de Arlanda, Suécia, confirmou que os funcionários da alfândega e da segurança também são treinados para observar esses sinais.

Lembre-se: os atos falhos gestuais podem ser completamente naturais. Há várias situações em que temos tanta energia, que se torna impossível achar uma válvula de escape adequada, então ela escapa em atividades sem sentido, como bater com os dedos na mesa, roer as unhas ou mexer em fósforos queimados. Também há momentos na vida em que ficamos sobrecarregados com mais energia ou frustração do que somos capazes de liberar.
Observe como um adolescente exibe vários atos falhos gestuais quando precisa ficar quieto por mais de uma fração de segundo.

Você está falando de um jeito nervoso, o que está acontecendo?

Mudanças na voz

Embora seja fácil escolher quais palavras desejamos usar ao falar, é mais difícil controlar a voz. Os nossos estados emocionais afetam o modo como falamos. E, para falar a verdade, não somos assim tão bons para escolher as palavras como pensamos.

Tom da voz

Sem dúvida você já deve ter notado que a sua voz costuma ficar mais alta quando se irrita. O tom muda. O volume também aumenta, assim como o ritmo. Quando você fica triste, é o oposto. A sua voz vem da parte posterior da garganta, sendo mais profunda. Você fala mais devagar e com mais calma.

Há indícios de que a nossa voz é afetada quando nos sentimos culpados sobre mentir assim como ocorre quando estamos irritados. Começamos a falar mais rápido, mais alto e de modo mais agudo. Se estivermos nos sentindo envergonhados por precisar mentir, e não culpados, a voz será afetada do mesmo modo como acontece quando estamos tristes. Ficamos mais quietos, a voz diminui e a fala desacelera. Se isso for verdade, significa que, se você observar essas mudanças na voz de alguém e não houver motivo plausível para ele de repente ter ficado irritado ou triste, você pode considerar a possibilidade de que ele esteja mentindo.

Mudanças na fala

Ao mentir, o jeito de falar muda e a qualidade da voz também. Pausas começarão a surgir na fala, por exemplo. Começamos a usar pausas longas ou curtas demais se comparadas aos nossos padrões de fala anteriores. Pausamos de repente onde normalmente não pausaríamos, como no meio da frase. Ou antes de responder perguntas cuja resposta deveríamos saber imediatamente. Tentamos ganhar tempo prolongando as vogais, fazendo ruídos como "ééééééé...", "huuuuuuum...", enquanto pensamos desesperadamente em algo para dizer. O nervosismo pode causar gagueira em pessoas que não gaguejam em situações usuais.

Usamos repetições e dizemos a mesma coisa do mesmo jeito continuamente. De repente passamos a falar com frases longas, como se estivéssemos com medo do que poderia acontecer se deixássemos outra pessoa assumir a palavra, então começamos a falar com frases extensas e intermináveis, e um jeito fácil de fazer isso é usar repetições, porque assim você pode continuar falando sem parar, dizendo a mesma coisa repetidamente sem que ninguém assuma a palavra.

Ou o oposto. Falamos pouco. De repente. Frases curtas. Com medo. Talvez... De um engano. De falar demais.

Todos esses tipos de mudanças na fala são um aviso sério de que algo está acontecendo. Você deve começar a procurar outras indicações no rosto ou na linguagem corporal da pessoa.

Mudanças na linguagem

Quem mente costuma demonstrar várias peculiaridades linguísticas. A pessoa começa a falar coisas de um jeito como nunca faria em outras situações. Várias dessas peculiaridades linguísticas são tão conhecidas que viraram clichês, porque é bem comum suspeitarmos das mentiras quando as ouvimos. Elas podem até parecer transparentes ao próprio mentiroso, mas nem assim ele consegue evitar o seu uso. Muitas dessas mudanças linguísticas passam despercebidas pelas habilidades de detecção da maioria das pessoas, então é uma boa ideia aprender a ficar atento.

Digressões e excentricidades

Em geral os mentirosos divagam mais e dão explicações complicadas que parecem não levar a lugar nenhum. Porém, perguntas diretas levarão a respostas curtas,

"Bem, eu acho que poderia dizer que sim, bem, quero dizer, pode ser, sim, é claro..."

A mesma coisa sempre

A mentira costuma ser pintada com pinceladas fortes, sem muitos detalhes. Se você receber um tipo de informação e fizer a mesma pergunta depois, é provável que o mentiroso repita exatamente o que havia dito antes. Quem diz a verdade provavelmente incluirá informações novas ou resumirá partes do que contou antes. Lembranças não são algo que tiramos de uma caixa todas as vezes em que queremos recordá-las, devolvendo-as depois. As nossas lembranças são afetadas por todo o resto que está na mente quando falamos sobre elas.

Alguém que não está mentindo, portanto, consegue enfatizar coisas diferentes todas as vezes em que conta alguma história, enquanto o mentiroso sempre diz a mesma coisa com medo de se contradizer, raramente dando detalhes. Se você pedir a alguém que está dizendo a verdade para dar mais detalhes do que antes sobre algo que fez, ele conseguirá (a não ser que a lembrança seja tão antiga a ponto de ter esquecido os detalhes). Mas isso é impossível para um mentiroso, a menos que ele construa uma mentira nova na hora. É mais ou menos assim:

"Eu fiquei sozinho a noite toda. Assisti à televisão e depois fui dormir."

Ao que você assistiu? *"Éééééé... Foi... Huuuummmm..."*

Cortina de fumaça

O mentiroso em geral tentará se resguardar atrás de uma camada protetora de palavras vazias que impressionem, como o uso excessivo de abstrações (falarei mais a respeito daqui a pouco) ou *falácias lógicas*. O mentiroso costuma responder de um jeito que parece fazer sentido, mas não faz. Como Dave Dinkins, ex-prefeito de Nova York, quando acusado de sonegação fiscal: "Não cometi um crime. O que fiz foi deixar de cumprir a lei". Não diga! Ou a resposta de Clinton ao ser questionado sobre o caso com Lewinsky: "Depende do que significa a definição de 'é'". Ou:

"Eu posso responder a pergunta de duas maneiras, dependendo da sua visão".

Criando distância com a negação

O mentiroso tende a falar em termos negativos. Ele começa a definir as coisas em termos do que *não* são, e não do que *são*, o que seria o jeito normal de falar. As mentiras políticas, em especial, costumam ser formuladas como negativas. Um bom exemplo é a famosa declaração de Nixon: "Eu não sou um bandido". Seria natural dizer: "Eu sou um homem honesto". Ele estava tão consciente, tão focado no que estava negando que formulou a sua mentira em torno disso.

Se um político começar a dizer que *não* aumentará os impostos e *não* poupará na saúde etc., em vez de dizer que deseja deixar os impostos e o financiamento da saúde como estão, o que basicamente expressa a mesma ideia, e mantiver o foco linguístico no que *não* acontecerá, então há motivos para duvidar dessas afirmações. Os impostos serão aumentados e a verba da saúde será cortada. Não que isso seja motivo de surpresa. Como disse Bismarck: "Nunca acredite em nada na política até que tenha sido oficialmente negado"[1].

"Não estou mentindo." (Ao contrário de "Estou dizendo a verdade".)

---

1. Falarei mais sobre a palavra mágica "não" em outro capítulo.

Criando distância com despersonalização

Mentirosos evitam palavras como "eu" ou "meu" ao máximo. É um jeito de se distanciar da mentira. Pelo mesmo motivo, o mentiroso também tende a usar generalizações como "sempre", "nunca", "todo mundo", "ninguém" etc., esquivando-se de definir exatamente sobre quem ou o que está falando.

"*Não se preocupe. Esse tipo de coisa nunca acontece aqui.*"

Criando distância com o uso do passado

Outra maneira de se distanciar da mentira é transferi-la para outro tempo e expressar o seu conteúdo no passado, não no presente. Um exemplo é a resposta comum à pergunta: "O que você *está* fazendo???" O mentiroso responde: "*Eu não* estava *fazendo nada!*" (e não "*Eu não* estou *fazendo nada!*")

Expressando reservas

Muitas mentiras descaradas nos filmes começam com as palavras: "Ouça, eu sei que você não vai acreditar, mas...", ou "Eu sei que parece estranho, mas..." O mentiroso que percebe estar destruindo a credibilidade em geral usa esses tipos de reservas. Desse jeito confirma qualquer desconfiança que a pessoa possa ter, mas explica simultaneamente que ela é desnecessária. O problema é que é um modo muito comum de encobrir uma mentira. O simples fato de que alguém expressa reservas sobre o que vai dizer em geral nos fará duvidar do que está para ser dito. O tipo mais engraçado de reserva é quando se diz logo de início que é mentira sem nem mesmo anunciar sobre o que se trata:

"*Vou dizer uma coisa, aquilo não existe! Vou contar o que aconteceu...*"

Sofisticação linguística

É meio estranho, mas as pessoas que mentem em geral usam formas mais apuradas de discurso do que o normal. Muitas começam, de repente, a usar regras de gramática e pronúncia que não costumam seguir, suprimindo as suas gírias e abreviaturas informais favoritas. Dizem que isso acontece porque a pessoa está tensa, portanto age com mais formalidade. Acho que pode ter a ver com o fato de você desejar inconscientemente enfatizar o que está dizendo do modo mais correto possível. Isso tem relação com o conteúdo da mentira, mas vem à tona na forma pela qual você conta a mentira. A falta de verdade na mentira é exageradamente compensada pelo melhor comportamento no sentido linguístico. Se não nos importamos secretamente com alguma coisa, mas desejamos fingir o contrário, não emitiremos um simples "Não, isso não me parece bom"; ao contrário, usaremos algo como: *"Acho que seria lamentável e inapropriado." Esticaaaaaaaaando as palavras.*

Formular a mentira é demorado, e é por isso que surgem todas as mudanças vocais, como pausas, gagueira, vogais prolongadas etc. Isso também pode provocar um ritmo mais lento na forma de contar a mentira do que o normal, ao menos no início:

"*Siiiiiim, ééééé assiiiiim, desculpe, foooooiiiii assiiiiiim...*" (Observe o distanciamento na mudança de "é" para "foi"!)

Cautela!

Cuidado com as suas conclusões

Antes de terminar este capítulo gostaria de repetir coisas importantes nas quais um leitor de mentes precisa pensar ao tentar perceber se alguém está mentindo (ou tentando ocultar as verdadeiras emoções). Lembre-se de que: localizar um desses sinais não basta. Tudo o que um sinal significa é que você deve ficar atento a outros indícios. Eles também devem ser mudanças no comportamento de alguém. Se aparecerem logo de início, você não pode determinar se são causados pela pessoa que mente ou se não passam de parte do comportamento natural dela.

Também é bom lembrar que os sinais que você notar não definirão se é uma mentira (falada) ou um caso de emoções reprimidas. Você precisará do contexto para determinar isso. Assim como acontece com as emoções mascaradas, esses sinais também podem ser causados por algo que nada tem a ver com o contexto envolvido. Se você conversar com um executivo que tem medo de avião, seria um erro supor que os atos falhos gestuais dele são um sinal de mentira (a menos que vocês conversem sobre aviões, é claro).

Se você captar sinais óbvios de que algo não está certo, aja com cautela. Dê à pessoa a oportunidade de mudar ou acrescentar informações. Não diga: "Ahá! Peguei você mentindo!", e sim algo como: "Sinto que há outra coisa acontecendo, algo que você não me contou". Ou "Você se importa de esclarecer o que disse? Talvez haja algo que você gostaria de explicar de outro jeito para me ajudar a entender melhor?"

Lembre-se do *aikido* da opinião. Se você confrontar diretamente alguém de quem desconfie e acusá-lo de mentir, provavelmente ele retribuirá com resistência e negação. Demonstre compreensão, estabeleça empatia. Descubra o que realmente está acontecendo. E, por fim, se não tiver certeza, você sempre deve presumir que a pessoa está sendo sincera.

É óbvio que não é muito construtivo sair por aí desconfiando de que todos estão mentindo. Você aprendeu bons conhecimentos, mas a sua vida será mais tranquila se você considerar que não precisará usá-los. E algo que pode tornar a vida muito, mas muito boa é encontrar uma *pessoa* legal com quem compartilhá-la. O que de fato fazemos. O tempo todo. Infelizmente, costumamos ser tão ruins para ler conscientemente os sinais de interesse dos outros (e eles também) que acabamos deixando as pessoas escaparem o tempo todo. O próximo capítulo ajudará você a mudar isso.

> Algumas pessoas exibem mais ou menos todos os sinais clássicos de um mentiroso no seu comportamento natural. Eu conheço um cara assim, e ele passou por maus bocados com a namorada até que ela entendeu as coisas.
> Lembre-se: é preciso saber como alguém age normalmente antes de determinar o que constitui uma mudança de comportamento.

Capítulo 8

Aqui as suas orelhas ficarão vermelhas quando você perceber como o seu comportamento é descarado durante os intervalos para o café e fará uma viagem ao Mar do Sul como recompensa.

O SEDUTOR INCONSCIENTE

Como você paquera sem ao menos perceber

É realmente óbvio: ser capaz de ler a linguagem corporal dos outros e controlar a própria são habilidades muito úteis quando nos sentimos atraídos ou interessados de algum modo em alguém. Existe uma verdadeira biblioteca de comunicação silenciosa e inconsciente onde podemos mergulhar quando a mente inconsciente entra no clima. Talvez isso esteja provocando culpa em você, que está pensando: "Mas eu tenho namorado" ou "Não faz sentido ler isso, sou muito feliz no meu casamento". O seu estado civil, porém, é completamente irrelevante. Os seres humanos são animais sociais. Necessitamos do reconhecimento dos outros e de permissão para conhecer outros membros da nossa espécie para nos sentirmos bem. Assim como ocorre com as emoções, é um mecanismo importante para o funcionamento das nossas estruturas sociais e para a nossa capacidade de aproveitar a vida. A paquera, um pouco de reconhecimento, podem ser coisas muito pequenas e inocentes. É claro que podem acabar levando à procriação e reprodução da espécie, mas, nos estágios iniciais, realmente são apenas um tipo de empatia mais especificamente direcionado, o que também é um tipo de reconhecimento.

Pessoalmente também acredito que as pessoas que vivem relacionamentos firmes podem precisar voltar a paquerar um pouco para apimentar a relação. Além disso, mesmo se você não quiser paquerar alguém que não seja o seu parceiro, não seria bom para a sua autoestima saber que alguém está interessado em você só de olhar para ele(a)? Ou, se estiver solteiro, como você revela o próprio interesse sem ser óbvio demais? Ou, se aquela pessoa fantástica vier conversar, como prender o interesse dela sem deixá-la ir embora e sumir? Qual é o melhor modo de rejeitar alguém?

Eu sei de cursos de paquera que ensinam coisas como "acariciar com os olhos" e caras e bocas, mas não é sobre isso que pretendo falar. Ao contrário, falarei de todas as coisas que nós já fazemos inconscientemente e em silêncio. Então, vamos lá!

Empatia e contato ocular[1]

Imagine-se em algum espaço social com muita gente. Talvez uma festa de Natal no trabalho, uma estreia no cinema ou um casamento. Também poderia ser a plataforma da estação de trem, ir buscar os seus filhos na creche ou no refeitório do trabalho. Imagine-se ali com amigos, com quem você conversa. De repente a sua mente inconsciente vê alguém a alguns metros à sua direita, alguém que, inconscientemente, você ache interessante. A primeira coisa que você faz é estabelecer empatia com a pessoa do outro lado do espaço. Lembra do exercício de empatia no início do livro? Você começa adaptando-se à linguagem corporal e ritmo da pessoa. Deixe também o seu corpo "aberto" à ela, removendo quaisquer obstáculos, como taças, capacetes ou qualquer coisa que esteja segurando com a mão direita, para que ele não fique escondido pelo seu braço ou por um objeto. A sua mente inconsciente cuida de tudo isso para você. Na verdade talvez você nem tenha percebido ainda que a pessoa está ali. Você iniciou um processo de comunicação, esteja você consciente ou não.

O seu próximo passo será começar a observá-lo discretamente, com um olhar de soslaio de vez em quando; o suficiente para demonstrar o seu interesse. Em termos puramente mecânicos, você olha para a pessoa até que ela olhe de volta. Depois você mantém um pouco o contato ocular antes de desviar os olhos outra vez. Você não mexe a cabeça, que ainda

1. O que você vai ler aplica-se tanto a homens quanto a mulheres. Geralmente usamos os mesmos métodos ao paquerar. Eu indicarei quando os métodos forem diferentes.

está de frente para a pessoa com quem você está. A sua única parte que se move são os olhos. As mulheres têm acesso a uma arma devastadora que, infelizmente, não está disponível para os homens. As mulheres, quando começam a desviar os olhos depois de fazer contato ocular, *olham para baixo* por um breve momento. A expressão "olhar furtivo" refere-se a isso.

Exercício de paquera

Se você for mulher, experimente este teste simples. Imagine uma pessoa atraente do outro lado da sala. Olhe para essa pessoa com o canto do olho e depois desvie o olhar, movendo os olhos para o lado. Olhe para a pessoa de novo.

Mas, desta vez, ao desviar o olhar, olhe primeiro para baixo.

Notou alguma diferença? Pareceu algo conhecido, de alguma forma? Eu acho que sim.

Olhar para baixo é um convite. É um sinal de submissão que diz: "Sou inofensiva" ou até "Posso/quero ser conquistada". Infelizmente, as nossas paqueras inconscientes costumam girar em torno da submissão feminina ao homem. Não é muito politicamente correto nem palatável de um ponto de vista contemporâneo, mas é assim que funciona. Somos assim desde os primórdios e não somos as únicas criaturas que o fazem. A maioria dos rituais de acasalamento do reino animal envolve elementos de submissão feminina, e a dança do acasalamento humana não foge à regra. Senão, o homem simplesmente nunca teria a coragem de se aproximar da mulher.

Exibindo as plumas

Agora vamos voltar àquela sala onde você estava. Ao confirmar (inconscientemente) que a outra pessoa está observando você, você exibe as suas belas plumas, como um pavão. Ou, melhor, você faz o equivalente humano: começa tentando melhorar a aparência para ele(a). Arruma a roupa, o cabelo, as joias. A postura ficará mais alerta e as costas, mais retas. Se você for homem, exibirá o seu tórax musculoso (ao menos teoricamente) para mostrar que é um macho alfa. E, se você for mulher, apresentará as suas qualidades da melhor maneira que conhece. Em resumo: não importa quem seja, você começará a mostrar o que tem.

No caso das mulheres, mexer no cabelo ou nos brincos é uma demonstração dupla de submissão feminina. Assim como fazem outros animais para demonstrar submissão, você expõe as partes mais sensíveis do corpo: os pulsos. Você também exibe as palmas, o que demonstra que não está segurando uma pedra nem outros implementos que pudessem ser usados para acertar a cabeça de algum homem que se aproximasse. Mostrar a mão vazia é um modo muito antigo e primitivo de demonstrar intenções amistosas. Os chimpanzés que estão lutando fazem o mesmo para mostrar que não querem mais lutar. Embora não sejamos mais macacos, o nosso inconsciente ainda registra a importância do gesto, e nós, humanos, até desenvolvemos as nossas próprias variações dele: o motivo original que justifica estender a mão ao cumprimentar na verdade é mostrar que você não está segurando uma espada.

O desafio

Chegou a hora de analisar. Você demonstra interesse analisando a pessoa, o que é feito com os olhos semicerrados e inclinando a cabeça. Você está examinando. Isso é tudo o que nós, homens, temos em nossos arsenais. Se nada tiver acontecido, precisamos tomar uma decisão consciente para nos aproximar da pessoa que estivemos estudando inconscientemente.

As mulheres ainda dispõem de outra arma. É devastadoramente simples e mortal. Mais uma vez, se você for mulher e puder experimentar isso enquanto lê, vá em frente. Você saberá exatamente do que estou falando. Eis a postura: cabeça e olhos assumem a posição de exame. Semicerre os olhos e incline a cabeça. Depois, ponha a mão no quadril, que você levanta um pouco. É isso! Agora, como mulher, você não está mais sendo submissa, você está propondo um verdadeiro desafio. Essa pose diz: "Estou curiosa, mas será que você tem coragem suficiente para vir até aqui?" Nada mais direto.

Lembre-se: ainda são técnicas inconscientes que você está usando. Então, sem saber que você fez alguma coisa para incentivar, de repente a pessoa está bem à sua frente querendo conversar. E você nem imagina como aconteceu. É bem provável que a pessoa pergunte se vocês se conhecem, porque você parece muito familiar. Sabe quem você lembra? A própria pessoa, é claro, já que você ficou seguindo a linguagem corporal dela!

A sua posição indica confiança e interesse

Se estiverem de pé (ou sentados) de frente um para o outro, é um sinal forte de atração, porque vocês estão literalmente expondo um ao outro os seus lados vulneráveis. Em geral ficamos a um ângulo de 45° ao conversar, pois ficar diretamente de frente é íntimo demais. Qualquer animal sabe que os lados são as partes mais protegidas do corpo. Para ficar diretamente de frente, vocês confiam muito um no outro, provavelmente porque se conhecem bem, ou é um sinal de atração. Pelo mesmo motivo, pode ser ameaçador se alguém se aproximar de frente. Se você ficar perto demais, ou caso se debruce sobre alguém, será considerado intrometido e agressivo, não humilde e vulnerável.

Se você ficar de frente para alguém que se sinta desconfortável com a situação, o desconforto será expresso por toques no pescoço, colarinho ou colar. É um sinal indicando que você deve recuar fisicamente ou mudar de assunto. Você está perto demais ou falando sobre algo que o deixa desconfortável.

Agora que vocês estão de frente um para o outro e conversando, a técnica da paquera assume mais nuances. Aproveite a oportunidade para prestar atenção ao comportamento inconsciente da pessoa. As pupilas estão dilatadas e indicando interesse? A linguagem corporal dele(a) se abriu, não havendo mãos nem outras coisas entre vocês? Também observe se ele(a) está bem plantado no chão, com os dois pés, e não prestes a fugir. Chegou a hora de usar os métodos de empatia que você não podia usar enquanto estava distante. Se você agir corretamente, os dois logo estarão se revezando ao acompanhar e conduzir a linguagem corporal um do outro.

Vamos imaginar que a conversa continuou e, um pouco depois, vocês se sentaram em um sofá ou em cadeiras, na pior das hipóteses. Continua do mesmo jeito. Você segue destruindo quaisquer barreiras entre vocês. Sentar de pernas cruzadas é uma ideia ruim, embora seja uma posição aterrada. O motivo é que a perna também se torna uma barreira. Então, os dois pés devem estar plantados no chão. Outra barreira que costuma ser removida nesse ponto são os óculos: você os tira ou os empurra para a testa.

Como você sabe, quem está interessado fica alerta, energético e em geral inclina-se um pouco para a frente quando você fala com ele(a). Sinais de que alguém está desinteressado, inquieto ou nervoso podem ser atos falhos gestuais, sobre os quais você leu na página 161. Se ele(a) estiver gostando da sua companhia, as mãos e os pés devem estar parados e relaxados, não se mexendo ou batendo no chão. Repare se as mãos se movem em direção ao rosto. Lembre-se do que leu no capítulo sobre a mentira.

Coisas sensuais

Um sinal novo que começa a aparecer agora, se é que ainda não apareceu, é tocar-se discretamente ou tocar um objeto, como uma taça. Dependendo de como o relacionamento tiver se desenvolvido, pode ser um sinal de que ele(a) se sente um pouco acuado e precisa confirmar o próprio senso de realidade. Aí a pessoa provavelmente tocará o pescoço e seus olhos passearão. Mas, se o relacionamento ainda for bom, esses sinais são carícias inconscientes e simbólicas direcionadas a você. Um comportamento parecido é colocar coisas na boca, e não me refiro a batatas fritas nem sanduíches de queijo. Nesse momento, começamos a chupar e mastigar azeitonas, cubos de gelo, chocolate ou qualquer coisa que possa ser movimentada entre os lábios de um jeito moderadamente sensual. Também começaremos a lambê-los (os lábios, não os cubos de gelo) um pouco. Tudo isso pode parecer meio bobo, mas é sério. Quem falou que o nosso inconsciente é sofisticado? Não haveria nenhuma necessidade para tanto, de qualquer forma, já que não notamos essas coisas. Ver alguém por quem sentimos atração comer ou beber é um alarme quase irresistível para o nosso inconsciente.

E, como se não bastasse, decidimos relaxar um pouco nesse estágio. Os homens afrouxam a gravata e desabotoam a camisa, ou tiram a jaqueta ou o colete, e as mulheres costumam tirar os sapatos, soltar o cabelo ou, pelo menos, afrouxar uma das sandálias. O que de fato estamos fazendo é começar a nos despir. Não estamos conscientes de nada além de viver momentos agradáveis, mas a dança do acasalamento está só começando.

Uma história real

Entendo plenamente se você estiver achando difícil aceitar que o comportamento que estou discutindo ainda é inconsciente. Tem certeza de que nunca deixaríamos de perceber tais investidas tão flagrantes na sedução? Talvez não se estivéssemos observando em silêncio a pessoa em questão. Mas lembre-se de que você está ocupado pensando nas coisas sobre as quais está falando, ouvindo a outra pessoa e adicionando os seus próprios comentários sagazes, exibindo o seu melhor comportamento. Simplesmente não há tempo para pensarmos sobre essas coisas conscientemente, em especial quando não temos tanta certeza do que significam. Vou contar uma história que ilustra como somos inconscientes.

Há mais ou menos um ano eu estava dando uma palestra em um resort de luxo. Como estava muito quente, as roupas eram informais, às vezes mínimas, até nos contextos mais formais. Certa noite estávamos jantando em um restaurante ao ar livre. Um homem que havia se tornado famoso graças ao seu físico e tamanho impressionantes entrou e sentou-se. Era impossível ignorar a presença dele, que era tão óbvia a ponto de todos os hóspedes lhe lançarem uma olhada rápida antes de voltarem a comer.

Cerca de um minuto depois que ele sentou, uma jovem foi ao seu encontro. Ela exibia cabelos longos e oxigenados, cerca de 25 anos, vestia uma camiseta muito decotada, saia curta e sandálias. Eu estava muito distante para conseguir ouvir a conversa, mas dava para estudar o comportamento deles. Ele afastou a cadeira da mesa para conseguir olhar para ela diretamente, o que eu achei um gesto simpático, indicativo de que ele estava pronto para lhe dedicar tempo e atenção (é claro que o tamanho dele impossibilitava uma demonstração de fraqueza ou vulnerabilidade para ela, porém, o mais importante é que ele também não apresentou nenhuma ameaça, já que estava sentado enquanto ela estava de pé). Eles conversaram por cerca de dois ou três minutos.

Durante a conversa, veja o que ela fez: primeiro, pôs uma das mãos sobre a mesa próxima a ela. Como a mesa era bem baixa, isso significa que ela estava inclinada para o lado e apoiada no braço, o que transformou o braço em um apoio útil para empurrar os seios para cima e para fora, na direção dele. Vinte segundos depois, ela move a mão sobre a mesa um pouco mais para cima. Como a mão agora está um pouco à frente dos pés, a mulher ficou levemente inclinada para a frente, o que alinhou o decote diretamente com o rosto do homem. Depois de mais vinte segundos, ela começou a tocar o pescoço, mas não de modo nervoso. De um jeito sensual: ela passava o dedo despreocupadamente em uma carícia ao longo do colar e da gola da camiseta. Isso levou meio minuto antes que ela tirasse a sandália direita e começasse a esfregar o pé descalço na perna esquerda. Para cima... Para baixo... Para cima... Para baixo...

Eu quase me engasguei com a salada. Como ele reagiria? Bem, ele fez exatamente o oposto dela. Olhava em volta, menos para ela, respondia secamente as perguntas que ela fazia (eu conseguia ver mesmo sem ouvir as palavras), batia com os pés no chão e ficava mexendo as mãos evasivamente. Depois de um tempo, ela teve de desistir e voltou para a sua mesa.

Quando a conversa deles terminou, eu não resisti. Procurei a mulher o mais depressa possível e perguntei sobre o que tinham conversado. Ela havia percebido a conversa como estritamente de trabalho. Na verdade, ele havia comprado um produto dela um ano atrás e ela queria saber se ele tinha ficado satisfeito. Ela ficou profundamente chocada quando descrevi o comportamento dela e a atração óbvia que ela havia demonstrado. A mulher afirmou que não se lembrava de ter feito tudo o que eu mencionei e ficou muito preocupada de ter passado uma impressão nada profissional. Eu acreditei nela.

Também conversei rapidamente com o homem. Comecei dizendo que entendia que isso devia acontecer com ele o tempo todo e que deve ser chato. Ele admitiu que era verdade, mas que se esforçava para ser atencioso, simpático e educado com todos. Quando descrevi o comportamento que ele havia exibido, ele ficou tão perturbado quanto a mulher.

Ficou preocupado de ter transmitido uma impressão desrespeitosa ou antipática e perguntou se eu achava que ele deveria pedir desculpas a ela. Eu disse que provavelmente não era necessário, já que nenhum deles havia tido consciência do próprio comportamento, que dirá do comportamento do outro.

Os dois são exemplos clássicos de tudo o que você leu até agora e eles realmente nem perceberam. Ao menos não conscientemente. Se eu tivesse questionado o inconsciente deles, é quase certo que eu teria recebido respostas completamente diferentes. Mas eles estavam conscientemente convictos de que tinha sido uma conversa curta e profissional. Lembre-se disso caso você fique nervoso ao acompanhar a linguagem corporal de alguém — você pode se dar melhor do que pode imaginar.

Quando o interesse diminui

Voltando a você e ao sofá (ou às cadeiras). Se a esta altura você tiver se cansado da outra pessoa, tenho certeza de que conseguirá adivinhar quais mudanças terão acontecido no seu comportamento. Você simplesmente começa a não criar empatia. Barreiras são reerguidas: óculos de volta, braços cruzados (por exemplo, segurando coisas nas mãos), as pernas se cruzam sob a cadeira, levantando os pés, ou cruzam-se na altura das coxas. O corpo fica tenso. O contato ocular se rompe. Algumas pessoas de repente parecem mais interessadas em espanar uma poeira invisível ou esfregar manchas imaginárias na roupa. A outra pessoa logo levantará, dizendo ter acabado de ver alguém com quem precisa conversar, pedirá desculpas e sairá. Ao se reunir aos seus amigos, que perguntam onde você esteve, você responde que estava falando com um desconhecido. E pronto. O fato de você ter estado envolvido em um jogo sensual por meia hora não ficou na sua memória.

Tudo o que eu descrevi acontece em silêncio. Como você pode adivinhar, é muito possível demonstrar esse comportamento sem sequer ser sutil, enquanto estamos envolvidos em uma conversa corriqueira superficialmente. Mas pense como seria eficaz se as suas palavras correspondessem aos seus atos também! Você pode se tornar perigosamente irresistível, praticando a sua empatia e a comunicação em silêncio.

No exemplo anterior descrevi uma série de comportamentos que podem ser demonstrados um após o outro em apenas um encontro, mas é claro que isso pode continuar por mais tempo ou até incluir apenas um único sinal de cada vez. Como aqueles dois colegas de trabalho: todo mundo SABE que algo está acontecendo, não importa o quanto eles neguem, apesar de todos os encontros deles na sala de fotocópias serem uma profusão de pulsos expostos, lábios umedecidos (*umedecidos*, não *lambidos*) e conversas frente a frente. Isso pode continuar para sempre e, se nada impedir, é muito provável que aconteça.

Os seres humanos são animais sociais. Precisamos ser reconhecidos pelos outros e poder reconhecer outros membros da nossa espécie para nos sentirmos bem. Não precisa ser mais do que isso, a menos que você deseje, é claro.

Até aqui este livro descreveu como aprender a observar os sinais inconscientes que os outros demonstram e entender os seus próprios sinais. Você pôde usar esses conhecimentos de vários modos, mas a premissa básica sempre foi a mesma. Agora estamos prontos para uma nova abordagem. Nos próximos dois capítulos você aprenderá técnicas para uma influência real. A influência que você pode conquistar ao conduzir alguém à empatia, por exemplo, é um tanto passiva. No capítulo a seguir falaremos sobre influenciar ativamente as opiniões, ideias e emoções dos outros — coisas que um bom leitor de mentes precisa saber fazer.

Muitas dessas técnicas, como os "comandos ocultos" do capítulo 9, ou as "âncoras" do Capítulo 10, podem ser usadas para melhorar as situações dos outros. Algumas das outras técnicas são incluídas para ajudar você a se proteger, já que está sob um bombardeio constante de truques sofisticados que as pessoas usam para acessar os seus pensamentos, geralmente para fins publicitários ou políticos.

Capítulo 9

Aqui você aprenderá como os seus pensamentos são afetados diretamente pelos outros e fará um trato com o Homem-Aranha.

OLHE PROFUNDAMENTE NOS MEUS OLHOS...

Métodos de sugestão e influência indetectável

Fazer as pessoas sentirem ou agirem de certo modo não é manipulação.

Alvin A. Achenbaum,
especialista em marketing.

A citação acima foi extraída de algo que Achenbaum disse em uma audiência na Comissão de Comércio Federal dos Estados Unidos na década de 1970. A Comissão de Comércio estava ficando um pouco preocupada com a capacidade das forças do mercado de influenciar as pessoas. Ou Alvin era muito tolo ou, o que é mais provável, estava usando um discurso vazio, como você leu na página 165, no capítulo sobre a mentira. É claro que fazer as pessoas sentirem ou agirem de certo modo é "manipulação".

Achenbaum está discordando do valor negativo que tendemos a atribuir à palavra "manipulação". Isso se refere à capacidade de influenciar alguém o bastante a ponto de causar mudanças no seu comportamento, e o valor das mudanças deve determinar o valor da ação. Mudar para melhor é positivo e mudar para pior é negativo.

Desconfio de que, inconscientemente, Achenbaum avaliava o termo de modo negativo, e estava na verdade referindo-se ao valor negativo, não ao termo propriamente dito. E, no fim das contas, você decide se a manipulação, ou influência, será algo bom ou ruim. Você já adquiriu uma grande percepção sobre como influenciamos e manipulamos constantemente um ao outro através do nosso comportamento. Às vezes basta de um simpático “Oi!” e um sorriso para influenciar alguém a nos cumprimentar com cordialidade. Em outras situações, é muito mais complicado. Acho que você também já começou a perceber que, como fazemos isso o tempo todo, independente da nossa vontade, só existe um jeito de saber se você está ou não influenciando ou manipulando alguém de forma negativa. Você precisa saber o que está fazendo para poder decidir quando *não* fazer ou optar por fazer diferente.

As técnicas que você aprendeu até agora possibilitaram principalmente identificar os estados emocionais dos outros, dando pistas de como eles se sentem e do que estão pensando. Como já observado, essas técnicas também podem ser usadas para influenciar os processos mentais dos outros, provocando uma mudança de humor em alguém, influenciando a linguagem corporal da pessoa, estabelecendo bons relacionamentos em reuniões ou fazendo alguém gostar de você. Mas, consideradas como técnicas de influência, elas são muito passivas, como mencionei. Agora quero ensinar técnicas mais ativas de influência. Mas também quero que você lembre: a nossa meta ainda é influenciar os outros de modo a ajudá-los a conquistar percepções e estados emocionais que sejam difíceis de conquistar sozinhos. Estamos sempre tentando ajudar as pessoas a explorar o seu estado mental máximo e mais útil. E isso é tudo o que devemos tentar fazer, porque a influência é uma faca de dois gumes. Todas as técnicas que estou ensinando para que você consiga ajudar as pessoas também podem ser usadas para destruí-las completamente. Isso é absolutamente inaceitável. Se eu descobrir que você está usando essas técnicas incorretamente, vou castigá-lo! É sério! Como diz Ben, tio do Homem-Aranha:

Com grandes poderes vêm grandes responsabilidades.

Propostas sutis

Sugestões para a nossa mente inconsciente

Usar a *sugestão* significa plantar opiniões, imagens e pensamentos na mente dos outros sem que eles tenham consciência. Eles acreditam que a ideia nova vem deles, quando, na verdade, a percepção de realidade deles foi manipulada por alguém. A mídia em geral, e os publicitários em particular, usam muito essa técnica. O jornal sueco *Dagens Nyheter* sabia muito bem desses métodos ao usar o slogan *"De quem são as suas opiniões?"* Como propaganda, por vários anos.

Poderíamos dizer que *uma sugestão é uma proposta ao nosso inconsciente.* Em geral as propostas são feitas à nossa mente consciente, então refletimos e decidimos sobre elas depois de ouvi-las. Costuma ser uma questão de se comportar de uma maneira particular ou concordar com uma ou outra opinião. O motivo que justifica por que é muito mais eficaz propor coisas diretamente ao inconsciente é que ele não analisa o que está sendo dito do mesmo jeito.

Quando alguém faz uma proposta à nossa mente consciente, filtramos as informações, analisamos o conteúdo do que foi sugerido e depois decidimos. Concordamos com a proposta: "é claro que quero ir almoçar com eles" ou rejeitamos: "Não, estou sem fome", ou pedimos mais informações antes de decidir: "Depende. Salsichas de novo?" Mas uma *sugestão* ao *inconsciente* desvia dos nossos filtros conscientes e analíticos. Como resultado, não precisamos decidir o que pensamos sobre o que está sendo dito. A nossa mente inconsciente interpreta tudo como verdade objetiva. Se alguém disser que "as laranjas são gostosas", podemos decidir conscientemente se concordamos ou não. Mas se a mesma coisa for lançada como sugestão à mente inconsciente, aceitaremos como fato. As laranjas *são* gostosas.

Além do bombardeio de sugestões pela mídia e pelos publicitários, também usamos a sugestão na nossa comunicação diária. Constantemente fazemos sugestões com a nossa linguagem corporal, como vimos no capítulo sobre a paquera. Mas as sugestões ocultas na nossa linguagem também podem ser extremamente eficazes, então vamos analisá-las agora. Afinal de contas, é muito mais fácil ler a mente de alguém se você já tiver decidido o que ele vai pensar...

> O nosso inconsciente não filtra e não faz julgamentos. Ele aceita as propostas sem criticar, contanto que o que for dito não colida com a autoimagem ou percepção da realidade do destinatário.

Não pense assim

Negações, "não" e contradições

Um método muito comum para plantar ideias novas em alguém é afirmar que algo *não é* o caso. Antes de "não poder fazer" alguma coisa, precisamos imaginar o que colocaremos depois da palavra "não".

Não pense em um urso polar azul.

Para entender a frase, você precisa ter certeza de que entende o que significa um urso polar azul a fim de aplicar o conceito abstrato do *não*. E aí já é tarde demais. Você já pensou em um urso polar azul.

É bem provável que você nunca tenha pensado sobre a vida amorosa da família real sueca. Mas, se você ler a seguinte manchete no jornal: "Princesa Madalena nega envolvimento romântico com Sting", não dá para entender sem antes compreender o conceito "Madalena — envolvimento romântico — Sting" e depois incluir o fato de que *não é* o caso. Embora essa manchete não tenha lhe ensinado nada novo sobre o mundo, a sua mente agrega um pensamento que não estava ali antes. E como sabem todos que têm — ou tiveram — filhos pequenos, a palavra *não* torna-se insignificante muito rapidamente quando comparada ao resto do que está sendo dito. Sting? Quem diria...

Negações são abstrações

Isso tem a ver com o fato de que conceitos abstratos — como *não* — são as últimas coisas que aprendemos quando crianças. Por serem abstratos e não terem correspondentes no mundo real — ao contrário de ursos polares e Sting (embora eu não tenha tanta certeza sobre o Sting) —, eles são difíceis de lembrar. Se disser ao seu filho para *não* se jogar para trás na cadeira, simultaneamente você está dando a ideia de se jogar para trás na cadeira. É fácil evocar uma imagem de alguém se jogando para trás na cadeira. A palavra *não* é um conceito puramente intelectual do qual precisamos nos lembrar para aplicá-lo à imagem, e isso é difícil. Todas as vezes em que diz ao seu filho para não se jogar para trás na cadeira, você fortalece a imagem de se jogar para trás. No fim, bastará à criança ver a cadeira para o pensamento de se jogar para trás despertar — apesar de você ter pedido para ela *não* fazer isso. Veja mais exemplos de como é possível confundir totalmente as pessoas:

"Não quero que você *perca a conta*."

"*Você não está mais bebendo*, está?"

"Pare de *bater no seu irmãozinho*!"

Um exemplo clássico:

"Não *se preocupe*, não é *difícil de achar*. Você não vai *perder*!"

Percebe quais imagens e pensamentos essas frases estão plantando na mente das pessoas? Vale para todas as sugestões: quanto mais alguém ficar exposto a elas, mais fortes elas serão. Se você tiver problemas com bebidas alcoólicas e alguém perguntar uma vez se você não está mais bebendo, normalmente não há problema. Mas se a pergunta for feita um número suficiente de vezes, como formulada acima, ela fortalecerá a imagem mental de *beber* até que o seu problema acabe voltando à tona facilmente.

É por isso também que as crianças, quando estão aprendendo a andar de bicicleta e a não colidir com as coisas, agem como mísseis dirigidos. Elas se concentram tanto em não *colidir com a velhinha*, não *colidir com a velhinha*, não *colidir com a velhinha* que isso acaba se tornando a única opção para elas. Ou, como já aconteceu comigo, estar dirigindo uma moto de neve e colidir com a única árvore a metros de distância. Uma árvore que estava a cinco metros de distância da trilha da moto. A árvore com a qual eu estava tentando tão conscientemente não *colidir.*

Todos os tipos de pessoas, desde jogadores de golfe profissionais até empresários de sucesso, podem dizer que, se você se concentrar em evitar os obstáculos em vez de se concentrar nas suas metas, você vai se deparar diretamente com os obstáculos. Agora você sabe por quê. Não pense em um urso polar azul.

Uma palavra ruim

Na verdade acho que a palavra *não* deveria ser banida do idioma, porque é impossível *não* fazer algo. Sempre estamos fazendo *alguma coisa*. Tente dizer a uma criança para não fazer o que ela está fazendo. Compare isso a quando você diz à criança o que você quer que ela faça e observe a diferença. Os adultos funcionam precisamente assim. Assim como um pensamento, uma ação é energia em movimento. É impossível deter a energia depois que ela começa a se movimentar. A única atitude a tomar é transformá-la em outra ação. É praticamente impossível interromper o que você está fazendo e *não* fazer ou *não* pensar em algo. Tudo o que você pode fazer é desviar a energia e pensar em *outra coisa*.

Então, em vez de pedir a alguém para não fazer algo, plantando assim um pensamento desnecessário que ele talvez nunca teria (como a imagem de se jogar para trás na cadeira), por que não lhe dizer o que você quer que ele faça? A probabilidade de conseguir o que você será muito maior. Isso também forçará você a se expressar com mais criatividade e positividade do que o usual. Mas isso é delicado!

De maneira geral, precisamos melhorar a forma de falar sobre as coisas — e sobre nós mesmos! — em termos do que são e de como podem ficar, em vez de falar sobre o que as coisas *não são* e o que *não podem ser.* As coisas são o que afirmamos que são. Dependendo do que dizemos que são, criamos imagens diferentes, sugestões diferentes, dentro de nós — e dentro daqueles que nos cercam. Lembre-se da frase "Eu não sou um bandido", do Nixon. Você pode ser um alcoólatra que não bebe. Ou pode ser sóbrio. Você pode tentar não ficar triste. Ou pode tentar ficar feliz.

Há pouco tempo conversei com um homem que havia se divorciado seis meses antes. Ele ainda estava deprimido. Mas boa parte da atitude dele diante da vida mudou quando eu consegui fazer com que ele mudasse o jeito de ver as coisas e começasse a pensar em si mesmo como solteiro, não divorciado. O seu modo de descrever o mundo surte efeito sobre as ideias que você sugere a si mesmo e aos outros, o que, por sua vez, afetará o seu percurso pela vida. Você está indo em frente? Ou não está indo para trás? O que você prefere?

Exercício do não

Tente evitar usar a palavra não um dia inteiro e observe quantas vezes você a usa por comodidade. É muito mais fácil dizer a alguém o que você não quer do que explicar o que você quer. Mas, se você se forçar a agir assim, verá o quanto será muito mais expressivo e positivo todas as vezes em que não usar o não.

Negação injustificada

Uma sugestão que usa *não* é mais forte quando inesperada. Ao dizer que você mesmo está ou não está fazendo algo, você também está dizendo indiretamente alguma coisa sobre os outros. Se Nixon tivesse dado uma ênfase diferente à sua famosa frase e, em vez de dizer: "Eu *não* sou um bandido", tivesse dito "*Eu* não sou um bandido", isso teria sugerido indiretamente que havia outros que *eram* bandidos.

Denunciar alguma situação, ou de repente fazer uma ressalva, é uma forma astuta de dizer coisas sobre os outros. Um político que diz: "O *nosso* partido não é xenofóbico" está afirmando implicitamente que outros partidos são. Ou ele é que é? Na verdade, o político não disse isso. Mas esse é o pensamento que surge na nossa mente. Porque, se não é o partido *deles* que é xenofóbico, deve ser aquele outro, certo? E agora eu decidi como votar na próxima eleição. Até ler uma manchete nova, ou seja, esquecer isso tudo. Mas é claro que eu tento... *não*... esquecer.

Assuma o controle

Falando em vários níveis diferentes

Também há outros modos de ocultar sugestões e propostas ao inconsciente. Quando conversamos, o que realmente queremos dizer nem sempre fica muito claro. Pode ser interpretado de formas diferentes. Se tudo o que fizéssemos fosse ouvir as palavras, enfrentaríamos mal-entendidos. Mas se também prestarmos atenção ao tom da voz, à linguagem corporal e ao contexto, entenderemos melhor o que alguém está tentando nos dizer. Decidimos com base em uma interpretação razoável do que estamos ouvindo, e respondemos pautados nisso.

Mas a nossa mente inconsciente registra todas as diferentes interpretações possíveis das palavras. Isso significa que é possível falar em vários níveis diferentes ao mesmo tempo. A interpretação do que estamos ouvindo fornecida pela mente consciente (e que acreditamos ser a interpretação correta) é o nível mais alto. Abaixo, podemos nos expressar de modo que a nossa fala esteja aberta a outra interpretação. Essa interpretação será captada pelo inconsciente. E se essa mensagem "oculta" for expressa constantemente, o nosso inconsciente começará a reagir a ela.

Eu sei que soa complicado, mas seja paciente e você logo entenderá. Um exemplo simples seria se alguém me dissesse: "Estou começando a passar mal, Henrik." A minha interpretação consciente é que a pessoa está começando a se sentir mal e quer me avisar. Mas existe outra mensagem oculta na sugestão: "Estou começando a **passar mal, Henrik.**" Isso se chama comando embutido. Uma única frase assim não é muito eficaz. Mas, se a pessoa que disser isso usar essas sugestões ocultas o bastante, começarei a reagir a elas, passando mal, sem a mínima ideia do motivo.

"Estou começando a **passar mal, Henrik.** Sinto que estou **enjoado** e quero **vomitar. Sabe como é...**"

Não recomendo que você leia as últimas linhas muitas vezes!

Se desejar usar as sugestões assim, você pode fortalecer o seu impacto, enfatizando-as cuidadosamente. Mude o tom da voz ou busque contato visual ao falar as palavras que sejam parte da sua sugestão. Faça exatamente do mesmo jeito para cada sugestão. Tudo o que você precisa para que o inconsciente da pessoa que você está tentando influenciar compre a ideia é emitir as coisas que você diz com uma voz um pouco mais baixa, como se elas fossem especiais. O exemplo anterior usando *não* também contém esses comandos ocultos ("perder a conta", "você não está bebendo") que você pode enfatizar usando o seu tom de voz.

Se estiver suspeitando que isso tudo parece algum tipo de hipnose, tem certa razão. Não chega a tanto, mas a hipnose explora o modo como entendemos a fala. Comandos ocultos são parte da fala hipnótica. Na hipnoterapia, assim como em muitas outras formas de terapia, tira-se proveito do fato de termos vários níveis de compreensão. Ao usar a sugestão, você pode enviar mensagens ocultas terapêuticas ao inconsciente do cliente s. O pai da hipnose moderna, Milton H. Erickson, que já mencionei várias vezes, era incomparável quando o assunto era esse tipo de comunicação paralela.

Sugestões acidentais

Esteja sempre atento às sugestões ocultas dos outros, sejam elas apresentadas como propostas regulares ou declarações incluindo a palavra *não*. Muita gente usa sugestões negativas o tempo todo sem estar ciente. Assim, muita ansiedade é causada sem que se dê conta. Evite esse tipo de pessoa sempre que for possível. Mesmo se você descobrir as sugestões, pode ser difícil evitar a influência delas. Você também poderia tentar responder com uma reestruturação da frase que ela disse, mas com uma sugestão positiva.

Se alguém estiver espalhando más vibrações, na pior das hipóteses, você pode sempre usar o *aikido* da opinião para conquistar empatia primeiro: "Eu entendo exatamente como você se sente, Thomas. Eu também me sentiria assim".

Então, quando perceber que a pessoa está ouvindo você, ofereça sugestões positivas sutilmente enfatizadas com o tom da voz e o contato visual, combinadas com uma proposta real de atitude criativa: "Comecei a me **sentir muito melhor, John**, depois que disse a mim mesmo: '**Ei, tire férias!**'" Use as armas da pessoa contra ela.

Qualquer palavra pode ser uma sugestão

Qualquer palavra ou expressão é uma sugestão em potencial, já que a nossa mente inconsciente vasculha todas as interpretações possíveis e realiza todas as associações disponíveis a partir de todas as mensagens diferentes a que estamos expostos diariamente. A próxima vez em que ouvir uma propaganda no rádio ou assistir a um comercial na televisão, tente ficar atento às diferentes palavras e frases usadas. Se a propaganda for boa, cada palavra terá sido selecionada com cuidado, criando certo efeito para atingir a sua mente. Sugestões ocultas podem despertar associações que você não esperava. Se usá-las corretamente, você poderá conectar quase todas as associações que desejar a quase todos os produtos.

Hoje em dia, o ato de chupar um sorvete usado como símbolo de sexo é um clichê da publicidade. (Se tiver dúvidas, veja a propaganda do sorvete Magnum, que mostra até uma sujeirinha branca no canto da boca.) Mas, deixando de lado o sentido puramente freudiano, a relação entre sorvete e sexo foi uma criação casual. Alguém em uma agência publicitária deve ter decidido conectar sorvete a sugestões sexuais, provavelmente estimulado por analistas motivacionais, como Ernest Dichter ou Louis Cheskin, que haviam percebido que isso funcionaria. E funcionou tão bem que todo mundo vem repetindo a imagem desde então. Mas poderia ter sido outra coisa completamente diferente.

Nos anúncios, tanto na televisão quanto no rádio, palavras específicas são usadas para inserir você em um estado emocional ou mental determinado. Esse estado é, então, associado ao produto ou ao logotipo da empresa. Palavras como *quente, suave, limpo, poderoso, maior* situam você em um estado e em uma experiência totalmente diferentes do que palavras como *tenso, preocupado, temeroso* e *fraco*. O melhor modo de fazer alguém sentir algo, portanto, é falar a respeito. Eu não sei você, mas exatamente neste momento eu estou sentindo uma coceirinha na garganta. E a sua garganta? Não está coçando um pouquinho também, quando você pensa sobre ela?

Eu acho que sim.

Ou que tal este anúncio que eu vi no aeroporto de Arlanda: "Você se lembra de como sente sede no avião?" Coincidentemente, essa oferta estava sendo exibida ao mesmo tempo em que as novas medidas de segurança para voos estavam sendo aplicadas, aquelas que proíbem os passageiros de levar uma garrafinha de água para o avião, a menos que você a compre depois de passar pela segurança. Veja só:

Qualquer palavra, expressão, emoção ou imagem que você usar ao falar com alguém levará a pessoa a experiências e estados emocionais específicos do mesmo jeito que acontece com a sua comunicação silenciosa. Então, certifique-se de que o lugar para onde você está levando a pessoa é aquele para onde você deseja ir, e não outro.

Exercício de atenção

1) Encontre dez frases comuns que contenham sugestões ocultas, como afirmativas com *não*, repetição de termos de valor ou comandos ocultos. Pense nas coisas que você mesmo e os outros dizem.
2) Escolha um jornal e tente encontrar sugestões ocultas, como afirmativas com *não*, repetição de termos de valor ou comandos ocultos. Comece analisando um dos editoriais. Depois veja quantas você consegue encontrar em um artigo que deveria transmitir as notícias objetivamente.

Não fui eu que falei

Sugestão por insinuação

Um jeito eficaz de usar sugestões linguísticas é escondê-las *entre* as palavras, como insinuações ou implicações, em vez de afirmá-las diretamente. Como você verá, isso funciona muito bem, e nós também não temos nenhuma ideia do que está acontecendo ao ouvir essas coisas.

Omissão de informações

Quando conversamos, em geral, fazemos vários atalhos linguísticos. Supomos que a pessoa com quem conversamos tem a mesma compreensão e as mesmas definições que nós, e que as palavras significam o mesmo para dois. Assim, não precisamos explicar o que queremos dizer com cada palavra usada. Isso é bom, porque, do contrário, a conversa seria muito chata. Normalmente omitimos diversas informações que pressupomos entendidas ao conversar. Em geral isso não causa problemas. "Estava escuro como breu" tende a ser entendido mais ou menos do mesmo jeito, já que as concepções que as pessoas têm de "escuro como breu" não variam tanto. Afirmativas de valor são muito mais problemáticas. "O jantar do Prêmio Nobel foi muito bom." O que é "muito bom" para você, comparando com o que é "muito bom" para mim?

Às vezes omitimos muitas informações ou a pessoa com quem conversamos entende certas coisas de outro modo. É assim que acontecem os mal-entendidos. Também podemos omitir informações conscientemente, partindo da noção de que "você sabe o que eu estou falando". "E, como sempre, ele me olhou daquele jeito, você sabe." A verdade é que eu posso não saber. Posso apenas pensar que sei. Então estaríamos pensando em duas coisas diferentes, ambos convencidos de que aquilo que estamos pensando é o verdadeiro significado pretendido.

Uso de comparações sem referência

Um bom exemplo de omissão de informações é a comida congelada dos supermercados. Neste exato momento em que escrevo tenho um salmão congelado da marca sueca Familjen Dafgård no meu micro-ondas. A caixa diz: "Agora usamos o nosso próprio caldo no molho, o que produz um sabor melhor e mais intenso..." Um tempo atrás me parece que existia alguma norma que obrigava os fabricantes a escrever coisas assim nas caixas:

Receita nova e enriquecida!

Molho novo para um sabor melhor!

Ou um frasco de xampu que alardeia ter uma *Fórmula nova e melhor!*

(E o que é uma fórmula de xampu???)

Embalagens de detergentes afirmando com orgulho: *Agora ainda mais branco!*

Não duvido de que tudo isso seja verdade. A questão é: Com o que comparar? Melhor do que o quê? Mais branco do que o quê? Melhor sabor e mais gostoso do que o quê? Todas essas afirmativas são comparações, mas omitem aquilo a que se comparam. A nossa mente gosta que as mensagens façam sentido e adora ver conexões entre as coisas, ao ponto de criarmos esse processo se ele não existir. É por isso que teorias de conspiração são tão atraentes, porque tudo, de repente, faz sentido. Quando lemos frases como essas que mencionei, inconscientemente preenchemos as lacunas. Estamos tão acostumados a fazer isso que acreditamos automaticamente saber qual é a formação da comparação e usamos a nossa própria interpretação, convencidos de que é a única correta.

"Molho novo com mais sabor!" — devem estar querendo dizer mais sabor do que antes, certo? Mas a verdade é que há várias interpretações diferentes e igualmente plausíveis: Mais sabor — do que os nossos outros produtos. Mais sabor — do que os produtos dos concorrentes. Mais sabor — do que antes, mas ainda bem insípido. E por aí vai. Algumas interpretações parecerão mais plausíveis do que outras: "Mais sabor do que um pepino" pode parecer uma interpretação menos plausível para alguns, mas como podemos saber se esse não é o significado pretendido?

Pessoas diferentes tecem interpretações diferentes. A única coisa que têm em comum é a escolha de uma interpretação na qual acreditem e que creiam ser a única interpretação plausível. Também preferimos a interpretação que tenha maior relevância pessoal para nós, já que será a primeira na qual pensaremos. Ao omitir informações assim, conscientemente, você permite que os próprios destinatários da mensagem a preencham com significado. Em outras palavras, sem dizer nada, posso levar você a vivenciar algo que seja verdadeiro e pessoalmente relevante em sua vida. É um jeito muito sagaz de estabelecer um relacionamento pessoal com o leitor. Você também deixa a cargo do destinatário criar boas ideias que sejam verdadeiras sobre o produto. Você nem precisa ter algo a dizer!

Ao omitir informações ou expressar-se de modo ambíguo, você permite que o destinatário atribua um conteúdo, o que garante que ele julgue essas informações tanto verdadeiras quanto pessoais. Um redator publicitário com quem conversei me disse que adora usar exatamente essa artimanha para envolver o leitor emocionalmente. Um exemplo brilhante é este pôster eleitoral intencionalmente (assim espero) bem-humorado do partido verde sueco, Miljöpartiet, e a sua campanha para as eleições de 2006 em Estocolmo (p. 198).

O pôster diz: "Que tipo de sistema de saúde você deseja para os nossos idosos? É isso mesmo". Superficialmente, a mensagem parece dizer que todos nós obviamente desejamos o mesmo para os nossos idosos, que nem é necessário discutir. Mas o que o pôster de fato diz é que *não importa o que você pense, não importa o que "sistema de saúde" signifique para você, é essa opinião que nós representamos. Miljöpartiet.*

Nós pensamos que eles sabem

Ao falar de alguém em termos gerais para que a própria pessoa tenha de preencher as lacunas, você também pode dar a impressão de que sabe mais sobre ela do que realmente sabe. Um bom exemplo é o "método do interrogatório" que foi usado na China, na década de 1950. Quando alguém era preso, basicamente lhe diziam: "sabemos de tudo, você pode confessar". Então, o pobre prisioneiro simplesmente era abandonado na cela por alguns dias para tentar entender o que eles realmente queriam dizer. Finalmente, depois de pensar bastante, todos sempre sugeriam algo que haviam feito e que achavam que seria o crime do qual eram suspeitos. O problema é que cada confissão esbarrava na seguinte manobra: mesmo se o que a pessoa houvesse confessado fosse um crime grave, não era o crime do qual era a suspeita. De volta à cela, ou de volta a alguns métodos de interrogatório mais criativos, a pobre vítima acabava confessando todos os atos da vida dela como possíveis crimes contra o governo.

Esse método também pode ser usado para conquistar a confiança das pessoas. Expresse-se sobre algo em termos pessoais, mas seja ambíguo o bastante de modo que o próprio ouvinte tenha de preencher todas as lacunas.

Enquanto lê, feche uma das mãos com força. Fechou? Ótimo.

Fique assim por alguns segundos.

Mais um pouco.

Agora comece a abrir a mão bem devagar. Exatamente *agora* você deve estar experimentando uma sensação bem estranha na sua mão, certo?

Muito bem.

Para ser totalmente honesto, não tenho ideia do que você sentiu na sua mão. Ela pode ter latejado, coçado, ficado suada ou talvez mais quente do que o normal. Ou outra coisa. Eu omiti informações suficientes e me expressei com ambiguidade o bastante ("uma sensação bem estranha na sua mão") para que você preenchesse todas as lacunas do que eu de fato queria dizer. E foi o que você fez, ao supor que eu estava me referindo a alguma sensação específica que você percebeu na sua mão. Uma sensação que eu, na verdade, não conhecia. Assim, você pode passar a impressão de que conhece tudo sobre alguém, até os seus segredos mais íntimos, levando a pessoa a definir as coisas que você estiver falando a respeito dela. Essa técnica é usada por líderes religiosos, em interrogatórios policiais e por charlatões inescrupulosos.

Indignação pública e outras generalizações

Outro jeito de usar sugestão por implicação é através de generalizações. Uma generalização é uma declaração que afirma que tudo em certa categoria compartilha certo traço. Se disser que todos os escoceses são avarentos, você criou uma generalização ampla sobre todos que vivem na Escócia. Palavras normalmente usadas nas generalizações incluem *todos, nenhum, sempre, o tempo todo, nunca, em toda parte, imigrantes, crianças* etc. Ao usar essas palavras, você elimina diferenças óbvias ou sutis que de fato existem e faz uma descrição muito simplificada.

Costumamos usar generalizações na nossa fala em situações cotidianas. Também podemos ver certo tipo de generalização nos jornais, como nas edições vespertinas suecas, cheias de frases como "diante da crescente crítica", "numa pesquisa de opinião" ou a minha favorita: "indignação pública." Mas o que isso realmente significa? Até que ponto a crítica deve estar crescendo para ser chamada de "crescente"? Porque, honestamente, para ser verdade bastaria que um e-mail indignado chegasse na segunda-feira e outro na terça-feira. Quantas pessoas são necessárias para uma pesquisa de opinião? Duzentas? Vinte? Duas?

Você pode achar que estou exagerando, mas não estou. Uma vez um jornalista me disse que o jornal sueco *Expressen* precisava de apenas três ou quatro pessoas insatisfeitas para usar a expressão "indignação pública" em um artigo. Não posso garantir a veracidade disso, mas não parece tão absurdo. Especialmente se você considerar que, quando o especialista em publicidade Martin Borgs visitou outro jornal, o *Svenska Dagbladet*, disseram que a definição de "indignação" correspondia a dez cartas irritadas dos leitores.

Então qual é o problema? Bem, ao usar esse tipo de palavra, damos a impressão de que existe consenso, o que poderia não ser verdade. Não reagimos conscientemente a essas palavras; na verdade quase nem as ouvimos. Mas, ainda assim, elas transmitem a sensação de que as pessoas parecem ter uma opinião formada a respeito. Talvez até a maioria das pessoas, vendo que se trata de "indignação". Assim é possível *criar* uma opinião pública do nada. Como não queremos parecer tolos, por segurança, tendemos a concordar com todo mundo. E se for verdade, como o jornal diz, que algo está enfrentando uma "crítica crescente", talvez eu deva pensar em discordar daquilo que incomoda tanto as pessoas, certo? Esse é um ótimo modo de influenciar a opinião pública e levar as pessoas a pensar o que você quiser, usando generalizações que sugiram que a maioria já se sente assim, quando na verdade apenas algumas pessoas — talvez menos de dez — estão envolvidas.

Cuidado com as abstrações

O último método para ocultar sugestões em implicações é uma variação da retórica vazia que mencionei na parte sobre a mentira, na página 165. Ao expressar-se de modo extremamente específico, mas evitando simultaneamente definir as palavras e os termos que você usa, você pode causar a impressão de que está apoiando ou até provando uma afirmativa sem de fato ter fornecido qualquer informação real. Um exemplo é o gerente comercial sob pressão que diz: "A primeira coisa a fazer é discutir essa situação nova e difícil que estamos enfrentando, já que ela afeta elementos importantes no nosso processo contínuo de crescimento". Tudo parece bem, mas em nenhum momento ele disse qual era a situação ou por que era difícil, e duvido que alguém tivesse entendido bem. Além do mais, quais são esses elementos supostamente importantes que ele menciona? Qual processo? E há quanto tempo ele vem se desenvolvendo?

Os jornalistas conhecem bem essa artimanha de usar abstrações excessivas e, se eles forem bons, terão pouca paciência com esse tipo de coisa. Especialistas em mídia costumam alertar os seus clientes de que não devem usar abstrações excessivas mais de três vezes consecutivas para não perder a credibilidade. O difícil é descobrir isso tudo como ouvinte. Quando a frase é falada parece estar indo bem, até muito bem.

Mas, na escrita, costuma parecer absurdo. Veja esta afirmativa do Ministro da Educação da Suécia Jan Björklund:

"Quero esclarecer uma coisa desde já: a necessidade da escola de mais treinamento definirá os termos para qualquer outro treinamento".

Como é que é???

Você é uma grande sugestão

Na verdade não são apenas as suas palavras que sugerem coisas aos outros. A sua presença como um todo, o que você veste, como se mexe e como parece também são importantes. Toda a ideia de conduzir alguém à empatia pode ser considerada como uma sugestão que o outro segue. No livro *Propaganda*, o mestre sueco do *lobby* Martin Borgs dá um exemplo de como usou o próprio corpo em uma sugestão para influenciar uma decisão quando desejava receber alta do hospital um dia antes do previsto. O problema é que era domingo, dia em que ninguém costuma receber alta:

> *O primeiro passo foi pedir a enfermeira para dizer ao médico que eu queria vê-lo. Antes que o médico chegasse, eu me arrumei. Tirei aquele avental enorme do hospital, tomei banho, vesti um jeans e uma jaqueta. Arrumei o quarto e coloquei tudo no lugar. Guardei as minhas coisas em bolsas e as deixei em um lugar visível, no chão. Depois, sentei-me na cadeira, digitando no meu computador, em vez de ficar deitado na cama assistindo à televisão.*

A implicação subentendida não poderia ter sido mais clara. O médico não encontraria um homem doente e fraco, e sim saudável, com níveis de energia bons e fortes. Martin recebeu alta no mesmo dia.

Pense na sua linguagem corporal, na forma como fala, nas suas roupas e no modo como age. Que sugestões sobre si mesmo você transmite às pessoas? E que sugestões você *gostaria* de transmitir?

Os métodos de influência descritos neste capítulo são principalmente métodos para influenciar as *opiniões* dos outros, mas as emoções das pessoas também podem ser influenciadas. O próximo capítulo ensinará como usar âncoras, o que permite ativar as emoções desejadas em si mesmo e nos outros com rapidez e grande precisão. Lembre-se do que já aprendeu sobre como os nossos atos são controlados pelas nossas emoções e você perceberá o poder que esse tipo de influência tem. Mas atenção: para que eu deixe você ler, você precisa desistir de todas as suas ambições de dominar o mundo e fazer lavagens cerebrais.

Capítulo 10

Aqui você entrará em contato com os seus sentimentos e os sentimentos dos outros, fugirá de um abraço e perderá o medo de tubarões.

LEVANTAR ÂNCORA

Como plantar e deflagrar estados emocionais

Como você sabe, é possível influenciar os estados emocionais dos outros através de empatia e sugestão. Porém, os resultados em geral serão um pouco imprecisos (como conduzir alguém a um estado "animado e confiante", em vez de "feliz e criativo"?) e você poderá achar difícil conquistar reações emocionais fortes. Existe um modo mais eficaz de influenciar as emoções que permite deflagrar qualquer sensação desejada, em qualquer pessoa que você quiser, quando quiser, e esse modo mais eficaz é o uso de âncoras.

Âncoras = marcas

Na verdade não existe uma verdadeira diferença entre âncora e marca. Esse era o ponto de Pavlov ao fazer com que os seus cachorros salivassem ao ouvir uma campainha. A diferença é que estamos marcando pessoas, não cachorros, e o que estamos marcando são estados emocionais, não saliva. Isso significa que você pode transformar rapidamente estados emocionais negativos das pessoas em estados positivos, usando âncoras. Como qualquer emoção pode ser ancorada, você será capaz de produzir emoções como inclinação para comprar algo, devoção ou tensão nervosa.

Então não se esqueça do que o Ben, tio do Homem-Aranha, falou. Use o seu conhecimento com responsabilidade e somente para o bem. Tem muita gente que já tentou seguir outro caminho e pode contar a você que tudo o que vai, volta. Além do mais, se você explorar as pessoas nesta vida, será uma pedra na próxima. Então, seja bom. É melhor oferecer a quem você encontra algo especial para lembrar do que contribuir para que sejam ainda mais neuróticos.

Você já usa muito

Como já disse e vou repetir: nada neste livro é novidade. Isso também se aplica às âncoras. Você já as usa o tempo todo. Temos muitas experiências ao longo da vida. Muitas dessas experiências também estarão ligadas a estados emocionais fortes, como alegria, amor, ódio, traição, felicidade, nervosismo, raiva etc. Ao sermos lembrados de algo que tenhamos vivido, lembramos mais do que o evento em si. De certo modo, também começamos a nos sentir do mesmo jeito que nos sentimos naquele momento. Nem precisamos nos lembrar do evento; podemos trazer de volta emoções até de eventos esquecidos. É por isso que podemos ver alguém de longe e sentir antipatia instintivamente. Depois é que percebemos como a pessoa parece com alguém que nos intimidava na escola ou que ela está usando a mesma jaqueta que o nosso inimigo da infância costumava usar.

O objeto que aciona uma dessas reações emocionais a uma lembrança, nesse caso certa aparência ou roupa, é conhecido como âncora. Trata-se de uma situação, objeto ou experiência que associamos inconscientemente a certa emoção. A aparência, ou a jaqueta, tem uma função na memória específica à qual a emoção se associa. Faz sentido? Nós esbarramos nesse tipo de âncora o tempo todo: quando ouvimos uma música conhecida e sentimos as mesmas emoções que sentimos ao ouvi-la pela primeira vez. "Ei, a nossa música está tocando! Lembra?" Ou rever álbuns cheios de fotos antigas, despertando memórias e as emoções que as acompanham. E não nos esqueçamos das trilhas sonoras de filmes! Em muitos filmes a música é usada como âncora para conduzir o público ao estado emocional certo.

Dois dos melhores exemplos disso são *M — O vampiro de Dusseldorf*, de Fritz Lang, e *Tubarão*, de Steven Spielberg. Em *M — O vampiro de Dusseldorf*, o assassino assoviava uma canção sempre que aparecia. No final, só ouvir o assovio já era o bastante para o público entender que o assassino estava se aproximando sem que ele precisasse aparecer na tela. Esse recurso pode ter apavorado as pessoas em 1931, mas o público atual é um pouco mais sofisticado, certo? Quarenta e quatro anos depois, Spielberg usou o famoso tema de *Tubarão* exatamente do mesmo jeito que Lang, para indicar que o tubarão estava se aproximando.

Conheço muita gente que viu *Tubarão* por volta dos 12 anos de idade e que ainda fica com o pulso alterado, sua, sente ansiedade e nervosismo todas as vezes em que me esgueiro sorrateiramente e canto "Dam...dam... dam dam-DAM DAM-dam dam-DAM DAM!!!" Que tal essa âncora?

Às vezes uma âncora estará associada a uma memória específica, não a uma emoção forte. Isso pode ser visto quando dizemos coisas assim: "Isso me lembra..." As âncoras mais fortes costumam ser as impressões sensoriais nas quais menos pensamos: sabores e odores. Um dos exemplos mais famosos de âncora na história humana é aquela descrita por Marcel Proust no seu romance *Em busca do tempo perdido*, onde o personagem principal come um bolinho que acabara de mergulhar na xícara de chá — e de repente se lembra de toda a sua infância:

> *E de repente a lembrança voltou. O sabor era o do pedaço da madalena que nas manhãs de domingo em Combray [...] quando eu ia cumprimentá-la no seu quarto, minha tia Léonie me oferecia, primeiro mergulhando-o na sua xícara de chá da Índia ou de tília.[...] Mas, quando nada subsiste de um passado distante, depois que as pessoas morrem, depois que as coisas são destruídas, sozinhos [...] o odor e o sabor permanecem [...] E mal reconheci o sabor do pedaço de madalena molhado no chá de tília que minha tia me dava [...] a velha casa cinza, que dava para a rua, onde o seu quarto estava, imediatamente emergiu como o cenário de um teatro [...] e toda a Combray e seus arredores, assumindo a sua própria forma e solidez, surgiram, cidade e jardins, da minha xícara de chá.*

Lugares podem ser âncoras fortes. Uma amiga minha descobriu isso sozinha há pouco tempo, ao romper com o namorado. A conversa começou na cama, na casa dela, mas, quando as lágrimas e a raiva explodiram, ela logo percebeu que eles precisavam terminar a conversa na cozinha. Como ela explicou para mim: "Senão todas aquelas emoções horríveis e tristes teriam ficado na minha cama. Elas voltariam todas as vezes em que eu fosse dormir e é claro que eu não queria isso." Ela felizmente percebeu, antes que fosse tarde, que a cama dela estava se transformando em uma âncora negativa poderosa. Mas nem sempre temos a sorte de ser assim tão perceptivos.

Âncoras no momento correto

As âncoras que nos interessam aqui não são do tipo que Proust apresenta. O tipo que estamos abordando são âncoras capazes de provocar estados emocionais diferentes nas pessoas. É claro que seria muito útil se pudéssemos saber exatamente quais âncoras estão escondidas no nosso inconsciente e no dos outros para assim acioná-las à vontade. Sente-se exausto? Acione a sua âncora da energia e *boom*!! Simples assim e você se transformou no Coelho Energizer. Se fosse desse jeito, poderíamos nos influenciar e influenciar os outros a sempre se sentirem felizes ao máximo e terem um estado mental criativo e animado. Mas, como as âncoras estão escondidas no inconsciente, é muito difícil saber o que elas são. Pode parecer que é melhor desistir, mas essa decisão seria prematura demais. Podemos facilmente *criar* âncoras *novas* em nós mesmos e nos outros. E sempre estamos fazendo isso, então podemos muito bem aprender a fazer eficazmente. Ao criar âncoras novas, você sempre saberá exatamente qual emoção está sendo deflagrada e exatamente o que fazer para deflagrá-la.

É assim que funciona: o que você fizer ou disser quando estiver com alguém que esteja vivenciando uma emoção forte ficará ligado à emoção nas lembranças da outra pessoa. Essa ação particular será a sua âncora. Mais tarde, quando você repetir, dizendo ou fazendo a mesma coisa de antes, isso estimulará a memória do estado emocional que a pessoa estava vivenciando quando a âncora foi plantada. Quanto da emoção é despertado novamente e o grau de poder da emoção (se é tão forte quanto antes ou apenas uma pálida sombra de uma lembrança) dependem de como você conseguiu plantar a âncora, em primeiro lugar.

Ao se tornar consciente de como as âncoras são feitas, você também obterá um sentido melhor das âncoras que você planta nas pessoas sem intenção. O mesmo se aplica a âncoras que você planta em si mesmo, como aquela que a minha amiga quase plantou no próprio quarto. E, é claro, você também terá uma chance melhor de observar quais âncoras os outros plantam em você, intencionalmente ou não. As âncoras, como as sugestões, costumam ser usadas equivocadamente.

Âncoras inconscientes, negativas

O americano Jerry Richardson, especialista em organização, dá um bom exemplo, em que o pai observa que o filho está triste e o abraça. A intenção do pai, obviamente, é confortar e apoiar. O problema é que o abraço dele deve ser usado em um contexto positivo antes, ou seja, deve ser ancorado com emoções positivas para que elas sejam acionadas ao abraçar o seu filhinho triste. Mas esse pai não tem muito contato físico com os filhos. Na verdade, isso só acontece quando ele precisa confortá-los. Então, em vez de estar associado a algo prazeroso e o pai ser capaz de usá-lo para combater a negatividade, o abraço estará ancorado com o estado emocional negativo, pois é aí que o filho o vivencia.

Se isso acontecer algumas vezes seguidas, sempre que o pai abraçar o filho, este entrará em um estado negativo, mesmo se estiver contente em princípio. Se o toque físico somente for usado quando alguém estiver triste, essa emoção estará associada ao toque, independentemente das intenções subjacentes.

Infelizmente tendemos a tocar mais as pessoas quando elas estão tristes ou perturbadas. Richardson questiona se isso pode explicar por que tanta gente na nossa sociedade não gosta de ser tocada; simplesmente aprenderam desde a infância a associar o toque às emoções negativas. É um pensamento assustador. Precisamos ter mais consciência do nosso comportamento, já que a lembrança de como alguém se comportou ficará guardada no nosso inconsciente ao lado da memória da emoção que vivenciamos na época. Em termos gerais, é uma boa ideia fazer contato físico com alguém que esteja de bom humor. Assim, você poderá ajudar quando a pessoa estiver menos feliz, tocando-a e acionando as emoções positivas e atuais dela.

É claro que uma âncora emocional não precisa envolver o toque. Eu usei o toque no exemplo anterior porque o contato físico é uma forma comum de dar conforto e apoio, e porque as âncoras que usam o toque tendem a ser muito fortes. Mas, como escrevi antes, tudo o que percebemos pode criar uma âncora funcional. Uma palavra, uma imagem, o tom da voz, um gesto particular, um odor, uma cor ou um sabor. Por motivos naturais, uma pessoa visual prefere uma âncora visual, e uma pessoa auditiva prefere uma âncora baseada no som. Se você não tiver certeza sobre que tipo de âncora usar, combinar várias impressões sensoriais nela pode ser uma boa ideia. Em vez de apenas dizer uma palavra, você o faz com um tom de voz específico, enquanto faz um gesto com uma das mãos e toca o braço da pessoa com a outra. Quanto mais impressões sensoriais você conseguir incluir na âncora, mais clara e forte ela será.

Alterando o estado mental dos outros

Saber qual é o nosso estado de ânimo e o que está passando pela nossa cabeça no momento surte um grande efeito sobre a percepção das coisas que ouvimos e sobre a possibilidade de acharmos determinada ideia maravilhosa ou terrível. Se você tiver uma ideia ou proposta e deseja a atenção de alguém, e preferencialmente que a pessoa concorde com você, é necessário que ela esteja em um estado emocional o mais receptivo possível. Se ela não estiver e você não dispuser de ferramentas para alterar o estado emocional dela, você poderá enfrentar problemas. Estabelecer a empatia é a ferramenta mais importante para tanto.

Mas, ainda que ela goste de você e fique aberta às suas ideias, ela pode estar triste ou perturbada por algo que você não pode mudar. Pode ser alguma coisa que não tenha nada a ver com o seu relacionamento com ela, talvez que diga respeito aos assuntos particulares dela.

Embora as intenções sejam boas, as emoções que ela traz afetarão a atitude dela em relação à sua ideia, mesmo se o motivo para o estado da pessoa não tiver a ver com você. Usando uma âncora positiva, você pode alterar o estado emocional dela de modo a adequá-lo ao seu encontro, ao menos temporariamente.

Você também pode usar uma âncora para fortalecer a resposta emocional de alguém a certa sugestão. Como o vendedor de carros que pergunta ao cliente: "O que acha de fechar negócio agora?" e simultaneamente aciona uma âncora para que o cliente vivencie sentimentos fortes de alegria.

As âncoras funcionam por causa da maneira pela qual associamos as coisas que acontecem dentro da nossa mente, como nos sentimos ou o que estamos pensando a eventos no mundo externo. Não importa que os dois estejam diretamente conectados ou não. É assim que as âncoras são criadas, mas também é um dos motivos que explicam por que é tão importante saber como usá-las. Se encontrar alguém em um estado negativo e não souber como resgatá-lo, você corre o risco de ter o seu encontro transformado em uma âncora para o estado emocional negativo dele! Então, sempre que ele encontrar você ou ouvir falar de você, sentirá um pouco de incômodo ou tristeza sem saber por quê. Não são esses sentimentos que você quer que as pessoas tenham em relação a você, certo? Isso pode surtir um efeito devastador na sua vida particular e na sua carreira. Felizmente, o oposto também se aplica: se você tiver facilidade em despertar emoções positivas e boas nas pessoas, usando os conhecimentos que adquiriu neste livro, você será uma âncora para essas emoções. Se a âncora for forte o bastante, só será preciso que alguém mencione o seu nome para acionar as emoções positivas ou quaisquer emoções que você tenha plantado.

Como já falei, você também pode plantar âncoras em si mesmo. É uma ótima maneira de dar a você um estímulo necessário de qualquer emoção. Você pode se sentir seguro em uma situação que o deixaria normalmente nervoso, feliz quando as coisas não estiverem bem, enérgico e determinado quando se sentir preguiçoso etc.

Você também pode combinar várias emoções diferentes em uma única âncora. Eu tenho uma âncora que aciona em mim uma emoção mista com elementos de alegria, orgulho, curiosidade, um frio no estômago e uma dose salutar de autoconfiança. O efeito é quase inebriante. Eu a aciono todas as vezes em que subo no palco para fazer um dos meus shows e ela me deixa em um estado mental perfeito para dar o meu melhor na apresentação.

Vou ensinar você a criar as suas próprias âncoras. Sugiro que não se limite a ler. Experimente imediatamente. É o único jeito de fazer você mesmo entender como é simples e como funciona. Pode parecer magia, mas é tão místico quanto os cachorros de Pavlov. O fato é que se trata da mesma coisa, porém é mais divertido e muito mais rápido.

É aquele toque humano

Como plantar uma âncora

Exatamente *o que* você deve fazer (gesto, palavra, toque ou outra coisa) depende do que gostaria de usar e o que a situação permite. Como escrevi, o toque é uma âncora forte para a maioria das pessoas, mas algumas situações não permitem outros toques além do aperto de mão inicial. Talvez você esteja longe demais da pessoa para conseguir tocá-la de um jeito natural.

Em situações assim, você conseguirá bons resultados se usar um gesto claro e acentuado, e disser algo. O gesto deve ser alguma coisa que você não faça normalmente, como bater palmas, agitar rapidamente os dedos, dar um tapinha na testa ou uma expressão facial muito distinta.

O que torna o uso de uma palavra tão útil é a possibilidade de "ocultá-la" a palavra na sua fala quando você deseja acionar a âncora. Na verdade, a palavra que você usa para acionar a âncora nem precisa ser a mesma usada para plantar a âncora, contanto que soe muito parecida e você empregue a mesma entonação.

Um exemplo de como as palavras podem ser usadas em sintonia com a linguagem corporal para criar uma âncora:

Para estabelecer a âncora, você executa um gesto ou toque específico enquanto fala (no campo de golfe, por exemplo): "Que tacada **ótima**!" Enfatize a palavra **ótima**.

Para acionar a âncora mais tarde, em uma reunião, execute o mesmo gesto ou toque enquanto diz: "Estou convicto de que será uma **ótima** solução para você. O que acha?" Use a mesma entonação em **ótima** que usou ao plantar a âncora.

Um exemplo do uso de palavras similares:

Plantando a âncora — "**Bom** Trabalho!"

Acionando a âncora — "**Devemos** ir!"

Nos dois casos, **bom/devemos** recebem a mesma entonação e são falados ao mesmo tempo em que você usa algum gesto ou toque.

Você se lembra do vendedor de carros? O que ele faz, ao dizer algo como "Tenho certeza de que será uma **boa** solução para você. O que acha?" (Ou uma versão mais direta: "Vamos fechar negócio! Que **coisa boa**!"), enquanto dá um tapinha no seu ombro, é provocar um sentimento parecido com aquele que você experimentou quando ele plantou anteriormente a palavra **boa** com esse mesmo gesto. Ele fez isso enquanto contava uma piada engraçada e você nem percebeu. Agora que você retornou àquele estado emocional, é mais fácil de entender todos os benefícios de fechar o negócio imediatamente.

Você também pode usar âncoras para associar emoções positivas às suas sugestões e ideias. É claro que devem ser emoções que a sua sugestão desperte em você também. Você nunca deve acionar estados emocionais não justificados em outras pessoas.

Se quiser ver exemplos de uma indústria que desenvolveu um alto conhecimento nessa área, observe a publicidade da televisão e dos jornais. Também é uma boa maneira de praticar âncoras nas quais não pensamos, mas que afetam a maioria de nós. Você verá que os anúncios usam mais do que apenas sugestão. Eles também costumam explorar estímulos culturais e sociais como símbolos, cores e sons para despertar estados emocionais específicos na tentativa de associar as emoções que você está sentindo ao produto vendido pela empresa. A âncora para o estado emocional é o próprio produto. Pode não parecer muito enganoso fazer as pessoas se sentirem felizes ao ver o logotipo da Coca-Cola. Mas você pode muito bem gerar uma inclinação a comprar que é deflagrada todas as vezes em que alguém vê os últimos tênis da Nike.

Observe os anúncios. Fica bastante óbvio que tem gente nesse meio publicitário que nunca ouviu falar do tio Ben.

As campainhas de Pavlov, as campainhas de Pavlov!

Encontrando o momento certo

O jeito mais fácil de plantar uma âncora em alguém é esperar até que ele esteja no estado emocional que você busca. Suponhamos que seja alegria. Ao notar que está acontecendo alguma coisa que o deixe muito mais feliz do que o normal, como uma boa gargalhada no cinema ou uma tacada certeira no golfe, plante a âncora exatamente no momento em que a emoção estiver no clímax. É importante tentar plantar a âncora enquanto a emoção estiver crescendo ou explodindo. A âncora não deve estar associada a uma emoção em declínio.

O problema desse método é esperar que a pessoa tenha a emoção que você deseja usar para criar uma âncora; pode levar muito tempo. Além disso, você corre o risco de agir um pouco como um caçador. A pessoa em questão começará a ficar intrigada com a sua presença constante, então tome cuidado para não ser advertido. Mas usar estados emocionais naturais ainda é um ótimo método para plantar âncoras improvisadas. Cultive o hábito de sempre criar uma âncora ao notar que alguém está muito feliz. Por que não, se a emoção já existe? Ainda que você não tenha planejado, nunca se sabe quando a emoção estará disponível outra vez.

Então estou afirmando que você deve plantar âncoras em todos que conhecer sempre que eles demonstrarem uma emoção positiva forte?

Com certeza! É simples. Depois de tentar algumas vezes, você começará a fazer isso automaticamente, sem esforço.

Mas e se você não estiver disposto a esperar que alguém entre no estado emocional que você deseja ancorar? Então *você* deve deflagrar esse estado em si mesmo! Como vimos no capítulo sobre emoções, elas podem ser acionadas de inúmeras formas. A ancoragem é menos detectável e mais rápida do que a maioria dos outros métodos, que em geral, despertam emoções usando associações de pensamentos. Âncoras e marcas funcionam mais como reflexos físicos. Mas, se você quiser ancorar alegria em alguém, por que não contar uma boa piada? Plante a sua âncora enquanto a pessoa estiver se acabando de rir. Ou talvez você queira provocar uma sensação de determinação ou adaptação? Então, comece a falar a respeito e provoque lembranças de um momento em que sentiram essa emoção especial. Lembre-se de usar as palavras sensoriais corretas para estabelecer associações fortes ao conduzir a pessoa à própria memória. Certifique-se de que ela esteja revivendo a emoção.

> *"Sabe quando surge uma ideia que você cisma que precisa pôr em prática ou quando vê uma coisa que precisa ter de qualquer jeito? sabe? Quando aquele sentimento toma conta de você e não tem como parar de pensar que você simplesmente precisa possuir isso? Ou fazer? Você se lembra de como se sente?"*

Use a sua percepção para determinar quando a emoção está no ápice. Não será difícil perceber: você já sabe quais são os sinais físicos de envolvimento e interesse: olhos límpidos, pupilas dilatadas, mudanças no tom da pele do rosto à medida que a circulação do sangue se intensifica etc. Plante a âncora quando a emoção parecer estar no clímax.

Não se preocupe sobre como conduzir a conversa de forma a levar a pessoa a reviver uma experiência. É um jeito comum de conversar que usamos o tempo todo. "Você lembra..." é uma expressão habitual que pode ser usada em qualquer conversa. Na fala cotidiana, estamos acionando constantemente associações emocionais uns nos outros. O fato de você desejar saber se as pessoas conhecem o sentimento pode ser explicado como o resultado do seu desejo de que elas entendam os seus sentimentos referentes ao assunto em questão, seja ele qual for.

> *"... Sabe como é? Você consegue se sentir desse jeito? É exatamente assim que eu me sinto."*

Você também pode usar frases como estas:

> *"O que você prefere..."*
> *"Você se lembra da última vez em que sentiu..."*
> *"Imagine que você..."*

Como a última frase sugere, você não necessariamente precisa despertar uma memória real na pessoa com quem estiver conversando. Como você sabe, as emoções podem ser despertadas pela imaginação também:

> *"Não seria ótimo se... como você se sentiria?"*

Exercício da âncora

Para criar uma âncora em si mesmo (e por que não?), você só precisa agir do mesmo modo que age para criar uma âncora nos outros: escolha uma emoção e encontre uma lembrança ou imagine uma experiência em que a emoção seja forte. Reviva a lembrança, desperte novamente a emoção e ancore-a. Use este método para tornar a âncora o mais forte possível.

1° passo:
Escolha a emoção que você deseja acionar com uma âncora. Encontre uma lembrança ou imagine um cenário em que a emoção seja forte.

2° passo:
Construa a lembrança ou cena imaginada, um sentido de cada vez. Primeiro visualize a aparência, como edifícios, pessoas, cores ou iluminação. Quanto mais detalhes, melhor. Depois inclua sons pertinentes. Ondas arrebentando? Uma celebração alegre? Folhas farfalhando ao vento? Animais fazendo barulho? Por último, adicione sensações corporais ou fragrâncias como a do vento, calor, suor ou algas. Vivencie a lembrança ou a cena imaginada de fora, como se fosse um observador.

3° passo:
Depois de situar todas as partes diferentes, entre na lembrança ou cena imaginada e vivencie-a de dentro. Sinta tudo.

4° passo:
Quando a força da emoção estiver chegando ao clímax, plante a sua âncora (cerre os punhos e diga: "nunca desista!" ou o que desejar). Mantenha a âncora por um momento até a emoção atingir o clímax e solte-a antes que a emoção enfraqueça.

5° passo:
Descanse por alguns segundos. Depois repita o 2° até o 4° passo, mas, ao adicionar as diversas impressões sensoriais, tente tornar tudo um pouco mais forte do que antes. Torne as cores mais intensas, os ruídos mais altos, o calor mais forte etc. Assim você também fortalecerá a emoção relacionada. Se você sentir que a lembrança não pode ficar mais forte, tente uma lembrança diferente que use a mesma emoção. Não fará diferença. Amplie os sentidos e a emoção em todas as vezes, e ancore do mesmo jeito de antes.

6° passo:
Repita o 5° passo três ou quatro vezes, plantando a sua âncora todas as vezes no mesmo lugar. Se tiver feito corretamente, você deve ter criado uma âncora muito forte na sua mente. Chegou a hora de experimentar. Primeiro descanse. Vá a outro lugar, não fique no mesmo ambiente onde tiver feito o exercício. Quando se sentir relaxado, acione a âncora (cerrando os punhos do mesmo jeito, por exemplo).
Se a âncora tiver sido bem plantada, você será tomado pela emoção imediatamente. Na hora! Não dá para evitar; você deu um reflexo físico a si mesmo. É uma sensação incrível. Se a emoção for fraca ou não aparecer, você programou a âncora incorretamente ou não conseguiu sentir bem a emoção ao criar a âncora. Em todo caso, só é preciso tentar de novo.

Pratique, pratique e pratique mais um pouco

Criar âncoras nas pessoas é um conhecimento que requer prática para ser eficaz. É sobretudo uma questão de adquirir o hábito e ter senso de oportunidade para que as âncoras sejam estabelecidas no momento em que os sentimentos estejam no ápice. Mas é tão fácil de praticar quanto a empatia. É apenas uma questão de fazer sempre que for possível. A ideia é que se torne uma ação automática, assim como acontece ao se estabelecer a empatia. E de fato é uma ação automática. A única coisa que você está acrescentando é a capacidade de estabelecer âncoras positivas, não negativas, e também de ser capaz de controlar o que deve ser a âncora real.

Plantar âncoras deve ser divertido e simples. Não há motivo para usar muitas âncoras diferentes para pessoas diferentes. Use âncoras comuns e sempre use a mesma para alegria ou determinação, por exemplo. Assim você não precisará lembrar mais do que o necessário. Você deve criar o hábito de usar a sua âncora da alegria (certo toque combinado com certa palavra, falada de certo modo) no momento em que alguém estiver muito feliz, independentemente de quem seja. Logo você terá colocado a mesma âncora da alegria na maioria das pessoas ao seu redor e, como você costuma usá-la, sempre saberá como acioná-la. Não será necessário pensar no que você fez para essa pessoa em especial. Além do mais, se você sempre usar a mesma âncora para a mesma emoção, não importa quem seja a pessoa, e se a tiver plantado em muita gente, o que acha que pode acontecer se você acionar a âncora em um lugar com várias dessas pessoas presentes? Isso mesmo, você deflagrará emoções múltiplas. Será uma boa surpresa!

Talvez você ainda ache esse negócio de âncoras meio estranho ou místico. Se for o caso, desconfio de que você não tenha feito o último exercício. Porque na verdade é muito simples: você cria uma associação reflexiva em si mesmo ou em outra pessoa, uma associação que conecta um comportamento (a âncora) a uma emoção anterior. É isso. Não dá para descrever mais com palavras. Para entender como funciona bem, você precisa pôr em prática.

Lembre-se: assim como aconteceu ao praticar a empatia, você nunca obterá um resultado "negativo". O pior que pode ocorrer é não conseguir estabelecer muito bem a âncora e nada acontecer quando você tentar acioná-la. Você deve insistir até aprender. Depois que der certo, você será feliz e fará os outros felizes, enchendo-os de criatividade e todas as outras emoções positivas que você ancorou, como um sagaz geniozinho manipulador de mentes.

O seu treinamento básico para ler mentes está quase acabando. Graças aos seus conhecimentos sobre empatia, sentidos dominantes e expressões emocionais sutis, agora você sabe o que as pessoas de fato estão dizendo, pensando e sentindo. Você consegue perceber quando alguém esconde que se sente pressionado ou quando mente. Você consegue interpretar e reagir facilmente a sinais inconscientes de reconhecimento e interesse que vê nos outros. Você também dominou técnicas para implantar ideias, opiniões, valores e pensamentos na mente dos outros e, pelo mesmo motivo, está mais atento àqueles que fazem isso com você. Você sabe usar âncoras para entrar no estado emocional exato que deseja e consegue fazer o mesmo com as pessoas ao redor.

Mas falta alguma coisa.

Você não pode se considerar um leitor de mentes se não conseguir provar aos outros que é capaz de ler a mente deles. Então, para terminar, ensinarei algumas demonstrações claras de leitura da mente que você pode usar para impressionar as pessoas. Prepare aquele olhar sedutor, toque aquela música dramática e acenda os refletores. O palco é seu.

Capítulo 11

Aqui você aprenderá alguns truques deliciosos para ler mentes que poderá usar para impressionar amigos, causando medo e pânico onde quer que vá.

APAREÇA

Demonstrações impressionantes e truques para festas

A leitura de pensamentos como forma de entretenimento é um pouco diferente da variante cotidiana. Agora não haverá muitas técnicas novas para aprender, porque todas essas demonstrações baseiam-se nos métodos (ou variações deles) que você viu neste livro. A única diferença é que eles serão apresentados de forma distinta e com resultados muito mais espetaculares. Assim como acontece com todo o resto, esses truques exigem prática para que bons resultados sejam conquistados. Não espere executar todas as demonstrações com perfeição logo na primeira vez. *Nada cai do céu*. Mas, com um pouco de paciência, você não terá problemas para dominá-las. Na verdade, sem saber, você já começou a praticar algumas.

Apenas lembre-se de que essas demonstrações podem exercer um impacto muito forte sobre as pessoas. Você sabe o que deve ou não fazer, mas os participantes não conhecem o verdadeiro limite dos seus "poderes". Sinta-se à vontade para explicar que você não é capaz de enxergar a mente deles, nem de manipulá-los ao seu bel-prazer, não é bem assim. Esses truques para festas podem torná-lo muito popular ou extremamente solitário, dependendo de como você tratar as reações dos seus amigos e parentes.

Pensamentos visíveis

Você sabe qual pensamento está na mente da pessoa

Esta demonstração resume-se a pedir que alguém pense em uma imagem, som ou sentimento. Observando secretamente os movimentos dos olhos da pessoa, você consegue perceber quais são as opções em que ela está pensando. Como você já deve ter notado, isso envolve o uso de todo o modelo EAC das páginas 75 e 76 para determinar qual pensamento ela tem em mente. É simples de fazer, mas pode ser muito chocante para a pessoa em questão.

O próximo exemplo não precisa ser repetido palavra por palavra. Eu o escrevi para poder explicar os estágios diferentes da demonstração com clareza. Depois de entender o princípio, você escolhe os "temas" ou pensamentos mais adequados. Mas, no momento, imaginemos você em uma situação social, cercado de gente. Uma pessoa só já seria suficiente, mas não é nada ruim ter um público. Vamos imaginar que alguém tenha se oferecido para participar de uma interessante experiência de leitura da mente. Comece assim:

> *Vamos conduzir uma experiência de leitura da mente. É óbvio que pensamentos são coisas muito pessoais, então vamos nos ater a pensamentos que criaremos juntos, agora. Assim não acontecerá de eu revelar algum pensamento particular seu. Relaxe e siga as minhas instruções... Está pronto? Vamos começar! Este é o primeiro pensamento. Visualize a sua sala do modo mais claro possível. Agora. Visualize a sala. Tente incluir o máximo de detalhes, como móveis, quadros, crie uma imagem da sala inteira...*

Aqui, verifique movimentos oculares definidos, preferencialmente para cima e para a esquerda, mas qualquer sinal serve, contanto que seja claro e coerente.

Ótimo. Agora apague essa imagem. Imagine o refrão da sua música preferida. Espere um pouco. Ouça bem a música ou a melodia na cabeça.

Agora procure um sinal claro de som: os olhos para um lado e quem sabe até a cabeça para o lado. Se você não obtiver uma boa leitura para o som, talvez porque o seu assistente não seja muito tonal, continue com uma pergunta cinestésica, como se nada tivesse acontecido. Lembre-se: o seu voluntário e as pessoas assistindo não têm ideia de onde isso vai dar.

Deixe a música ir sumindo. A última coisa que quero que você pense é como se sente ao tomar banho. Sinta a água morna descendo pelo corpo, sinta o chão escorregadio ou a banheira sob os seus pés...

Agora que você já observou sinais dos olhos pelo menos em dois dos três sentidos, pode pedir que a pessoa vivencie as experiências sensoriais mais uma vez, se você desejar, para se certificar de que os movimentos oculares são coerentes. Isso pode ser uma boa ideia se o seu voluntário não estiver seguindo o modelo EAC. Se as leituras não forem as mesmas na etapa de controle, diga o quanto é importante que ele *veja* a sala nitidamente e *sinta* a água batendo na pele (ou o que você tiver escolhido) para que ele não mude repentinamente a experiência sensorial das impressões diferentes que você forneceu. Mas se você tiver captado movimentos oculares nítidos, pode prosseguir.

OK, agora você tem alguns pensamentos selecionados aleatoriamente, porém bem diferentes, na sua mente. Quero que pense em um destes dois: a sala ou o chuveiro.

(Ou um de três, se você tiver obtido boas leituras em todos os três.)

Não me diga qual você escolheu... Pense em um dos dois; se for a sala, você consegue vê-la nitidamente na sua frente de novo e, se for o chuveiro, você consegue sentir a água morna na sua pele outra vez...

Neste momento tudo o que você precisa fazer é prestar atenção à forma como os olhos da pessoa se movem, pois isso revela o que ela está pensando. Deixe-a mudar de ideia algumas vezes e espante-a em todas as vezes por conseguir sempre revelar os pensamentos dela.

Lembre-se: durante a demonstração, o que estiver acontecendo será muito óbvio para você e para ninguém mais, pode acreditar. Ninguém sabe qual é o seu alvo quando você pergunta sobre as diferentes experiências sensoriais, e os espectadores simplesmente estarão assistindo a um processo interessante. O voluntário não saberá que está mexendo os olhos, assim como você mesmo provavelmente não sabia antes de conhecer o modelo EAC. Quando pensamos, estamos focados internamente e não temos ideia do que o nosso corpo está fazendo. Sabemos ainda menos sobre o que estamos fazendo com o nosso rosto, o qual nem podemos ver, é claro.

O exemplo anterior, envolvendo salas e chuveiros, provavelmente seria estranho se você tentasse repetir palavra por palavra. Eu apenas o usei para demonstrar o princípio. Como a sua escolha é totalmente livre no que se refere às impressões diferentes, você pode tornar a leitura da mente tão pessoal e íntima quanto desejar. O segredo é simplesmente dividir as impressões em sensações visuais, sonoras e sensuais/físicas. Um exemplo para amigos íntimos pode ser (em uma forma meio truncada):

> *Quero que você veja nitidamente o seu atual namorado na sua frente... Agora ouça a voz do seu ex-namorado... E agora lembre-se de como se sentiu ao abraçar o seu primeiro namorado... Agora pense naquele que você mais ama, como fez há pouco, mas não diga nada...*

As possibilidades são infinitas. O que importa aqui é que você entenda o princípio. Depois, o limite é a sua imaginação, quando você escolher os tipos de pensamentos que optar por usar.

Em muitas situações provavelmente é melhor usar pensamentos impessoais, como objetos ou músicas. Mas, se julgar que a situação e a companhia permitem, você pode usar algo como o último exemplo para deixar tudo mais divertido. Deixe o seu voluntário escolher o pensamento com o qual tenha mais envolvimento emocional. O pensamento mais importante, o que ele mais deseja, o que mais teme etc.

A vantagem é que você não precisa saber o conteúdo dos pensamentos. Não é necessário saber qual é a música favorita da pessoa ou como é o namorado dela para que tudo funcione. Basta prestar atenção aos movimentos dos olhos. O que torna essa demonstração tão eficaz é que o seu voluntário pode pensar em coisas nunca reveladas a você — e mesmo assim você conseguirá dizer o que ele está pensando.

Um pássaro na mão

Você sabe em que mão um objeto foi escondido

Esta demonstração resume-se a adivinhar várias vezes em qual das mãos alguém escondeu um objeto. Mostrarei três jeitos diferentes de fazer. Sugiro que você faça em sequência e use um método novo sempre que repetir a demonstração. Quanto mais você repetir, mais impressionante será, já que existe uma chance de 50% de acertar na primeira tentativa.

Se você fizer três vezes, uma tentativa incorreta não terá muita importância. Afinal, esse negócio de ler mentes é difícil. Além de demonstrar a leitura da mente, você demonstrará influência e controle. O seu assistente ficará totalmente indefeso nas suas mãos, para a frustração dele e deleite dos outros.

A estrutura básica é pedir que alguém esconda um pequeno objeto na mão. Algo que caiba na palma da mão, como um anel, uma moeda, uma pedra ou a peça de um jogo. Depois peça para ele colocar as duas mãos para trás. Explique que ele pode trocar as mãos à vontade e escolher no final em que mão esconderá o objeto. Depois de decidir, peça para ele fechar as mãos, para trás, e depois exibi-las na frente do corpo. Vai começar a diversão!

O primeiro teste

Este é um bom método para começar, porque é desconcertantemente simples. Tudo o que você precisa é usar a sua habilidade de observar mudanças físicas sutis no seu assistente. Quando ele estiver com as mãos para trás, passando o objeto de uma mão para a outra, fique de costas para ele. Peça para ele esticar a mão que está vazia e erguer a mão com o objeto até a têmpora.

> *Pode parecer estranho, mas quero que você encha os seus pensamentos de sentimentos, com a sensação desta mão. Pare alguns segundos e crie uma imagem mental dela, depois imagine essa imagem enchendo todo o seu cérebro.*

O que você realmente quer é que ele mantenha a mão na altura da têmpora de cinco a sete segundos. O que você diz é apenas para mascarar esse fato.

> *Pronto? Pode abaixar a mão e levá-la para perto da outra... AGORA.*

Assim que você disser "agora", vire e dê uma rápida olhada nas mãos dele. Não vire tão bruscamente. O público não pode achar que você espiou enquanto ele abaixava o braço. Dê uma rápida olhada nas mãos dele, só isso. Uma das mãos estará mais pálida do que a outra. O fluxo sanguíneo foi diferente, já que ela foi erguida até a têmpora, então a mão pálida é a que tem o objeto dentro. Mas não faça a revelação logo. Para aumentar o mistério, espere até que as mãos fiquem com a mesma cor de novo. Depois de verificar rapidamente qual é a mão, olhe nos olhos do seu assistente, fique calado por um tempo antes de revelar dramaticamente qual mão contém o objeto.

> *Vejo nitidamente, há uma imagem lá dentro... uma imagem da sua... mão direita! Abra a mão direita, por favor.*

O segundo teste

Agora o seu assistente ficará parado, o que tornará o truque ainda mais espantoso. Porém, este método exige mais das suas habilidades de observação. Peça que ele estique os braços e olhe para a frente. Certifique-se de que os braços estejam altos e próximos o bastante para que fiquem dentro do campo de visão dele. Então, peça para ele se concentrar na mão que contém a moeda, discretamente, e espere alguns segundos.

Se você tiver sorte, já terá visto um leve balanço da cabeça ou até um rápido olhar para a mão que está segurando o objeto. Esses movimentos, contudo, podem ser muito discretos.

Uma dica: observe se a ponta do nariz volta-se para alguma direção. Se você observar esses movimentos, dá para concluir e revelar em qual mão o objeto está. Caso contrário, continue, pedindo para a pessoa criar uma imagem da mão e visualizá-la nitidamente na frente dela. Ela não resistirá a lançar um olhar rápido, quase imperceptível, para a mão direita. Está na periferia do campo de visão dela, e a tentação de dar uma olhadinha será enorme. Isso acontece inconscientemente, e depois você lê o pensamento para descobrir o objeto, ou a pessoa perceberá que você fez com que ela olhasse, o que também é uma boa reação. Afinal de contas, estamos lidando com leitura da mente e *influência*.

Peça a ela para colocar as mãos para trás de novo e trocar o objeto de mão algumas vezes. Quando ela terminar, do mesmo jeito de antes, peça a ela para esticar os braços com as mãos fechadas.

A terceira tentativa

O último método baseia-se completamente em sugestão. Se não tiver certeza se vai funcionar, peça a alguém para experimentar com você antes. Você verá que funciona muito bem. É um verdadeiro clássico do mundo da sugestão. O seu participante passou o objeto de uma mão para a outra pela última vez e está com os braços esticados de novo. Nas primeiras tentativas, o ângulo dos braços não importava muito, mas agora você pode pedir a ele para esticar os braços em linha reta, paralelos ao chão. Depois peça para ele fechar os olhos. Este é o primeiro estágio da sugestão:

> *Vou dizer algumas coisas, preste atenção. Tente imaginar o que estou dizendo da melhor forma possível, mas não mexa os braços. Deixe-os parados, OK? Agora relaxe... Ótimo. Imagine o objeto que você está segurando ficando pesado... mais pesado... mais pesado ainda. Como se fosse de chumbo... Está tão pesado que você mal consegue segurá-lo... Sinta-o mais pesado... Está duas vezes mais pesado do que antes...*

Neste ponto já deve existir resultado: um dos braços do participante terá afundado em direção ao chão. Assim que observar qualquer movimento em uma das mãos, tão pequeno que só você consegue ver, você poderá finalizar a demonstração de leitura da mente, se desejar:

> *Por que não abre a sua mão direita e solta esse objeto tão pesado?*

Os espectadores, um pouco distantes, vão jurar que a mão não se mexeu. Mas, se essa for a sua última demonstração, você pode turbiná-la e continuar com a próxima etapa:

> *Agora imagine um fio preso no outro braço. Na outra ponta do fio, há um balão de gás. É um balão enorme e está deixando a sua mão tão leve... Tão leve. Não pesa nada, ela quer voar... O balão está tentando levantar você até o teto... Mas você não sai do lugar por causa do peso do chumbo na sua outra mão, que está ficando cada vez mais pesada... Na verdade você está segurando um balde cheio de chumbo...*

Continue deixando uma das mãos mais pesada e a outra mais leve. No fim o participante ficará com os braços totalmente separados, um para baixo e outro para cima, como a letra K. A distância entre os braços varia de pessoa para pessoa, mas é raro a diferença ser tão pequena a ponto de passar despercebida.

Fique um pouco mais de olhos fechados. Sentiu que os braços se mexeram?

A resposta será negativa. Se houver mais pessoas, peça a elas para dizer em voz alta em qual mão o objeto está escondido. É claro que o assistente não terá dificuldade para saber qual é a mão.

Continue de olhos fechados e fique parado. (Você não quer que as mãos dele se mexam assim tão cedo.) O objeto está mesmo na sua mão direita? Como você não mexeu as mãos, o Matthew também deve saber ler a mente, não é? Abra os olhos.

O participante ficará muito surpreso ao ver os braços apontando para duas direções completamente diferentes, e não em linha reta. Agradeça os aplausos e não se esqueça de pedir para o público aplaudir o seu assistente também!

Para a frente e para trás

Um clássico sobrenatural com uma explicação natural

Pensei muito antes de incluir esta parte. Fiquei com medo de que fosse julgada absurda, destruísse a credibilidade do livro e as pessoas o atirassem pela primeira janela que encontrassem. Mas concluí que, se você ainda está lendo, tem o conhecimento necessário para perceber que o que eu vou mostrar é tão normal quanto o resto e funciona com os mesmos princípios de tudo o que vimos até aqui. Estou falando de... pêndulos.

É isso aí! Pêndulos!

Aqueles cristais hippies com perfume de patchuli pendurados em um fio que aquele pessoal com cabelo tingido de hena afirma que podem revelar o seu futuro. Pêndulos. Mas, na verdade, os pêndulos funcionam de acordo com o princípio psicofisiológico de que todos os nossos pensamentos surtem algum efeito sobre o corpo. Antes que considere isso um total absurdo, convido você menos experimentar, empiricamente, e entender o que está desprezando. Caso contrário, você estará sendo supersticioso. Eu compreendo se você estiver em dúvida e cético neste exato momento. Mas acredite em mim.

Convença-se

Pegue um fio com cerca de 20cm de comprimento e amarre um anel ou algo parecido em uma das pontas. O objeto deve ter algum peso. Se for leve demais, o pêndulo não funcionará. Depois, desenhe um círculo com cerca de 15cm de diâmetro em um papel. Faça uma linha vertical cortando o círculo pela metade e escreva sim no topo da linha. Depois, faça uma linha horizontal cortando o círculo e escreva não ao lado. Ou use o círculo impresso na próxima página.

Segure a ponta vazia do fio entre o polegar e o indicador. Deixe o pêndulo ficar parado acima da interseção das linhas, no centro do círculo. Essa sempre é a posição inicial. Agora erga o pêndulo de modo que ele fique reto sobre a cruz. Concentre-se na linha SIM. Pense "SIM-SIM-SIM-SIM", em voz alta, e observe o pêndulo começando a se mover para a frente e para trás sobre a linha! Tente não mexer a mão. Você pode apoiá-la com a outra mão para dar mais estabilidade. Como percebeu, não faz diferença. O pêndulo continuará se movendo para a frente e para trás ao longo da linha. Agora mude para a linha NÃO. Concentre-se e pense "NÃO-NÃO-NÃO-NÃO". Sem nenhuma ação consciente sua, o pêndulo mudará a direção de repente! Dessa vez ele seguirá a linha não. Certifique-se de deixar a mão parada. Agora pense em "círculo" e veja como o pêndulo começa a fazer um movimento circular sobre o papel. Alterne entre "SIM-NÃO-CÍRCULO" algumas vezes até se convencer.

Tudo isso acontece por causa de algo chamado resposta ideomotora. Ao pensar, você provoca inconscientemente pequenas reações musculares que o olho humano não é capaz de detectar. Mas, ao serem ampliadas pela extensão do fio e peso do pêndulo, elas ficam óbvias.

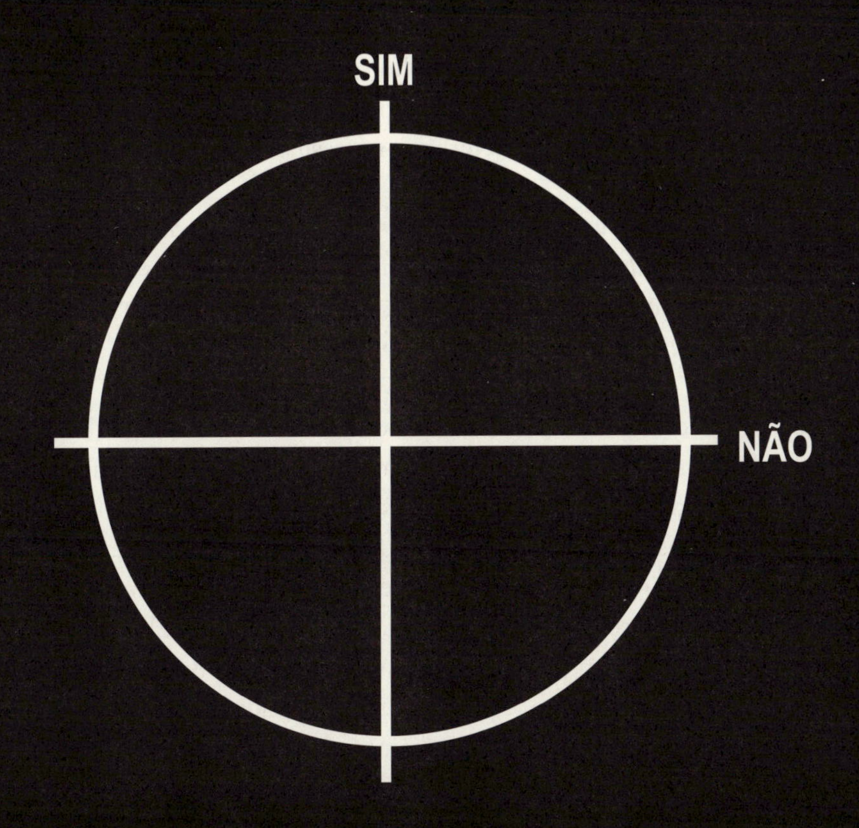
SIM
NÃO

O pêndulo parece "mágico" porque nós o vemos se mexendo, embora quem o segure jure que a mão está totalmente parada, e nós realmente observamos isso. Talvez por essa razão pareça razoável atribuir os movimentos do pêndulo a alguma causa oculta. Livros sobre pêndulos não tardam a apresentar conceitos coloridos como "Anjo da Guarda Sagrado" ou "força mágica do pêndulo". A minha ambição não é transformar o mundo em um lugar menos interessante, afirmando que isso não existe, só acho que é desnecessário procurar uma explicação além das nossas próprias reações fisiológicas. A melhor explicação que já li sobre como funciona o pêndulo foi formulada pelos especialistas em pêndulos Greg Nielsen e Joseph Polansky, veteranos no assunto:

> *O sistema nervoso humano é o sistema de comunicação do corpo... O pêndulo permite interpretar os sinais que os seus nervos querem comunicar... A partir da sua inteligência interna e superior, através do sistema nervoso.*

Tudo bem, admito não ser óbvio que o inconsciente é uma inteligência superior. Mas chega perto. Então, o motivo que explica por que apenas vemos o pêndulo — e não a mão — se mexer é que o pêndulo amplia os movimentos pequenos e imperceptíveis da mão, reações musculares pequenas demais para notarmos e que estão além do nosso controle consciente. A ideia de respostas ideomotoras não é novidade. Ela foi expressa pela primeira vez em 1852 pelo psicólogo William B. Carpenter, que também inventou o termo "ação ideomotora". A ideia foi esclarecida por William James, famoso filósofo e psicólogo, que mencionei antes, em 1890:

> *Sempre que um movimento ocorre depois de ser imaginado, sem hesitação e imediatamente, temos uma ação ideomotora. Não é uma curiosidade, é simplesmente o processo normal.*

Parece que ninguém estava prestando atenção. Os poderes aparentemente místicos do pêndulo — e a ignorância das pessoas sobre como e por que ele funciona — causaram ideias incorretas sobre as possibilidades significativas de uso desse objeto. É uma alternativa popular para varas de vedor, para encontrar objetos perdidos. Isso pode funcionar, mas apenas se você souber inconscientemente onde o objeto está, embora tenha esquecido momentaneamente. Como, por exemplo, onde você deixou as chaves do carro. Mas segurar um pêndulo sobre um mapa para encontrar pessoas desaparecidas — o que já foi sugerido e feito nos Estados Unidos — não faz sentido. Se funcionar mesmo, apenas indica que a pessoa que está segurando o pêndulo de fato tinha informações sobre o paradeiro do desaparecido. E, se for o caso, provavelmente você está mal acompanhado.

E agora que já sabe que o pêndulo não precisa interagir com o mundo espiritual nem com linhas magnéticas para funcionar, e que o processo é tão misterioso quanto qualquer outra reação corporal que você tem ao pensar em alguma coisa, pode ir buscar o livro lá fora. Agora chegou a hora de desconcertar as pessoas com as suas descobertas sobre o pêndulo[1].

O primeiro teste

Mostre ao seu participante como segurar o pêndulo e explique sobre a posição inicial no centro do círculo. Se ele quiser parar o pêndulo, diga-lhe para abaixá-lo em direção ao centro de novo, mas ele nunca deve parar o pêndulo com a outra mão. Use o mesmo círculo com as linhas SIM e NÃO, como antes.

Nos experimentos com pêndulos, um movimento circular significa "dúvida" ou que não haverá resposta. Comece pedindo ao participante que pense em SIM, NÃO e CÍRCULO, como você fez antes, para mostrar como funciona. Isso também permitirá que você determine a intensidade das reações da pessoa e o tempo que leva para o pêndulo mudar de direção. Lembre-se de explicar ao participante que ele não deve mexer a mão.

No primeiro teste você deve escolher uma pergunta que seja respondida com um número e cuja resposta o participante — e não você — saiba. Por exemplo:

Quantas xícaras de café você tomou hoje?
Com quantos caras você conversou ontem à noite no bar?

---

1. O meu editor gostaria de avisar que, se você realmente tivesse atirado o livro pela janela, não poderia ler a minha sugestão de ir buscá-lo lá fora. É claro que ele tem razão. Nunca atire este livro em lugar nenhum, não importa o que eu disser.

Peça a ele para levantar o pêndulo do círculo, mantê-lo parado e diga: "Dez". (Comece com um não garantido. Dependendo da pergunta que você escolher, pode ser que você precise usar um número mais alto — veja os exemplos anteriores). Espere até que o pêndulo responda na linha do não.

A rapidez da resposta do pêndulo depende da pessoa, pode ser imediata e muito clara ou apenas um pequeno e cauteloso movimento. Depois do primeiro não, continue a contar para baixo enquanto fixa os olhos no pêndulo. Faça uma pausa a cada número para que o pêndulo tenha tempo para mudar de direção:

Nove. Oito. Sete. Seis. Cinco. Quatro. Três. Dois. Um. Zero.

Em algum número o pêndulo mudará de direção de repente e passará a se mover na linha do SIM. o número onde o pêndulo mudar de direção será a resposta correta para a sua questão. Pergunte ao seu assistente se ele mexeu a mão. Ele dirá que não. Pergunte se o número estava certo. Ele dirá que sim.

Interlúdio

Se quiser, no fim do primeiro teste, explique como o pêndulo funciona. Diga que é controlado por pequenas atividades musculares das quais não estamos conscientes, que o nosso sistema nervoso as controla e que o pêndulo as amplia. A outra experiência será ainda mais interessante, especialmente para o sujeito do seu teste, se todos entenderem os mecanismos envolvidos.

O pêndulo como detector de mentiras

Use o pêndulo como detector de mentiras. Trata-se simplesmente de um exemplo visual de sinais contraditórios inconscientes, como você leu no capítulo sobre mentiras. O seu participante tentará dizer uma coisa com palavras, mas o corpo sinalizará outra coisa, que será ampliada pelo pêndulo.

Suponhamos que você esteja em uma sala com cinco pessoas além de você e do seu assistente. Peça para ele deixar o pêndulo em repouso sobre o centro do círculo e escolher uma das pessoas da sala, sem revelar quem é. Ele pensará nesta pessoa durante a experiência. Explique que você dirá os nomes de todos os presentes, um por um. Para cada pessoa, você perguntará se é nela que o seu assistente está pensando. Ele responderá que não em todas as vezes, mesmo sendo a pessoa certa. Quando você tiver certeza de que ele já escolheu a pessoa certa e entendeu as instruções, peça para ele levantar o pêndulo. Assim como aconteceu no exercício anterior, você começará com certo resultado para ter certeza de que ele está "cooperando".

Mencione alguém que não esteja presente e pergunte se é essa pessoa. Espere pelo NÃO do pêndulo. Se estiver lidando com alguém que apenas demonstre reações pequenas, você pode, se precisar, perguntar sobre mais uma pessoa que não esteja presente. Depois de obter uma resposta boa e clara, continue com as cinco pessoas na sala.

É a Silvia?

É o Lipton?

E por aí vai. O sujeito do seu teste deve responder NÃO em cada pergunta, mas uma delas — *É a Esther?* — fará com que o pêndulo mova-se para SIM, independentemente do que a pessoa estiver afirmando. O pêndulo revelará a mentira de modo certeiro. (Por isso certifique-se de que a mentira se refere a um assunto trivial para que não restem sentimentos ruins depois que todos forem embora da festa por causa das duas pessoas discutindo na cozinha e você acabe alugando um filme ruim do Ben Stiller, devorando um saco de batatas fritas e engolindo um copo enorme de Coca-Cola.)

Espero que tenha coragem suficiente para pôr essas experiências à prova. A maioria é mais fácil do que você imagina. Só é preciso usar os conhecimentos que você já vem praticando para ficar autoconfiante. Talvez, no início, você precise ter tutano!

Capítulo 12

Aqui você constatará que é um leitor de mentes competente, o autor conta as suas decepções sobre o futuro e a nossa jornada termina.

LEITURA DA MENTE!

Alguns pensamentos finais sobre o que você aprendeu

Chegamos ao fim. Se tiver feito todos os exercícios e dominado cada parte do livro antes de seguir, provavelmente você levou alguns meses para chegar aqui. Se, ao contrário, você tiver feito o que eu costumo fazer e tiver lido o livro de cabo a rabo sem se deter para fazer os exercícios, não tem problema. Uma das coisas boas nos livros é poder saltar de uma página para a outra como convier. Os exercícios e métodos não vão fugir. Não importa se você já tiver começado a treinar as suas habilidades de ler mentes ou se ainda vai começar. Nos dois casos, espero ter convencido você de uma coisa:

Isto *é* leitura da mente. Leitura da mente não é mito.

Simplesmente é um pouco diferente do que a maioria imagina. A *leitura* é, em tese, algo que fazemos com os olhos (embora alguns sejam capazes de ler com a ponta dos dedos). Então precisamos ser capazes de *ver* o que estamos lendo. E o que podemos ver são as maneiras pelas quais os nossos processos de pensamento afetam o nosso corpo e o nosso comportamento. Como Descartes estava errado, o que vemos de fato também é uma parte integrada do processo de pensamento em questão, que também nos permite deduzir o resto com relativa facilidade.

Às vezes me perguntam o que acontecerá quando todos souberem como fazer isso, depois que este livro tiver vendido milhões de cópias no mundo todo e absolutamente todos o tiverem lido. Apesar de julgar a pergunta irritantemente teórica demais, com certeza acho ótimo, já que eu ficaria riquíssimo. É claro que seria estranho se todos saíssem por aí analisando conscientemente uns aos outros o tempo todo. "Oi, muito prazer! Quem acompanha quem?" Mas, como eu já falei várias vezes, a sua aprendizagem não está completa até que você volte a fazer tudo isso inconscientemente (4ª etapa). E depois que todos nós começarmos a fazer isso? Bem, aí eu acho que seremos pessoas melhores pelo simples motivo de estarmos atentos aos outros e não a nós mesmos. Passaremos pela vida com menos atritos e mais diversão. Haverá diferenças de opiniões, mas conflitos os verdadeiros serão resolvidos nos estágios iniciais, em encontros agradáveis e respeitosos. Provavelmente até impediremos uma ou outra guerra. (Por outro lado, acho que no futuro vestiremos malhas prateadas e viveremos em colônias em Marte. Outro dia fiquei pensando que talvez aquelas revistas que eu lia quando era criança estavam cheias de mentiras...) O problema é que isso nunca acontecerá. Sempre haverá pessoas que não desejarão criar empatia e que estarão satisfeitas de abrir caminho pela vida usando técnicas de supressão ocultas. Felizmente, podemos resistir e viver sem elas ao entendermos o que estamos realmente pensando e expressando ao nos comunicar.

Com a caixa de ferramentas que recebeu, você será capaz de saber muito, em poucos segundos, sobre alguém que acabou de conhecer. Você saberá quais impressões sensoriais a pessoa usa para entender o mundo. Isso significa que saberá que tipos de experiências são importantes para ela.

Você conseguirá chegar a conclusões sobre os seus prováveis interesses ou profissão. Ao observar o que acontece no rosto, você verá quais são as emoções ou como o estado emocional da pessoa está mudando. Quando o pensamento dela mudar, você notará imediatamente através das mudanças que observar na linguagem corporal e nas expressões faciais. Se ocorrer uma alteração negativa no estado emocional dela, você poderá desviá-la com uma única palavra, provavelmente antes mesmo que ela perceba o que está para acontecer. Você poderá detectar imediatamente qualquer desonestidade ou mentira. Você rirá consigo mesmo quando perceber que o colega dela está se sentindo atraído por ela, mas que nenhum dos dois parece notar.

Em poucos segundos você saberá, mais do que muitos dos amigos desse indivíduo, como ele funciona e pensa. Se isso não for leitura da mente, então não sei o que é. Como você está prestando atenção ao modo pelo qual ela usa a linguagem corporal e a voz ao se comunicar, você é uma das poucas pessoas que de fato entendem exatamente o que ele está tentando dizer. Você se certifica de também usar a mesma linguagem corporal e voz, além de todas as informações que já tem sobre ele para tornar o seu relacionamento uma comunicação cristalina. Você está pronto para criar um ambiente animado e criativo onde possa expor as suas ideias e que vocês gostem da companhia um do outro. *Voilà.*

Eu não disse que seria muito útil?

Henrik Fexeus
Janeiro de 2007

Assim também são as camadas da frase "era uma vez", com a qual eu comecei deliberadamente a narrativa anterior: ela sugere que qualquer história que suceda é e não é verdade. Como Bettelheim observa sobre os contos de fadas: "Como é um conto de fadas a criança pode oscilar de um lado para o outro no próprio eixo entre 'É verdade, é assim que as pessoas agem e reagem' e 'É tudo mentira, não passa de uma história'" (BETTELHEIM, 1978: 31). Essa fluidez psicológica é um nó que, creio eu, também é importante para o adulto, embora o adulto seja mais ansioso em relação à necessidade de diferença entre realidade e história do que a criança. Essa fluidez de pensamento é necessária para acompanhar os tipos de ilusão que descrevo.

De Michael Jacobs, em *Illusion:*
A psychodynamic interpretation of thinking and belief

Referências das imagens

p. 65: Posições das pernas, 4 figuras, Anders Karlsson.
p. 78: Movimentos dos olhos, 6 fotomontagens, "amigo de Henrik".
p. 108-137: Expressões emotivas, 31 fotomontagens, Olof Forsgren, Anders Karlsson, montagem de Anders Karlsson.
p. 115: Woody Allen (fotógrafo desconhecido).
p. 131: Tina Nordström, Mette Ramdem.
p. 133: Göran Persson, Pawel Flato.
p. 137: Soldado da tropa do Império, Pressens Bild.
p. 162: Bill Clinton (fotógrafo desconhecido).
p. 197: Anúncio publicitário, Henrik Fexeus.
p. 200: Pôster de eleição, Miljöpartiet Stockholm.
Apesar dos nossos esforços, não conseguimos localizar todos os autores das imagens. Solicitamos que os autores com direito às imagens usadas entrem em contato com a editora.

Referências

Estes são os livros de onde roubei tudo isso.

BANDLER, R. & GRINDER, J. (1982). *Sapos em príncipes: Programação Neurolinguística.*

______. (1975). *Patterns of the hypnotic techniques of Milton H. Erickson, m.d.* Califórnia: Meta.

BJÖRKLUND, J. (2006), apud *Aftonbladet*, 06/11, p. 39.

BORGS, M. (2004). *Propaganda:* Så påverkas Du. Estocolmo: Bokförlaget Atlas.

BROCKMAN, J. (org.) (2004). *The mathematics of love*: A talk with John Gottman [Disponível em http://www.edge.org/3rd_cul-ture/gottman05/gottman05_index.html].

CARNEGIE, D. (1977). *Como fazer amigos e influenciar pessoas.* São Paulo: Nacional.

CIALDINI, R.B. (2012). *As armas da persuasão*: *Como influenciar e não se deixar influenciar.* Rio de Janeiro: Sextante.

COLLETT, P. (2003). *The Book of Tells.* Londres: Bantam Books.

EKMAN, P. (2004). *Emotions revealed.* Londres: Orion Books.

______. (2001). *Telling Lies.* Nova York: Norton & Company.

EKMAN, P. & FRIESEN, W.V. (2003). *Unmasking the face.* Massachusetts: Malor.

FLEMING, C. (2004). *Insurers employ voice-analysis software to help detect fraud* [Disponível em http://www.v-lva.com/newsite/site. html].

GLADWELL, M. (2005). *Blink*: A decisão num piscar de olhos. Rio de Janeiro: Rocco.

GOTTMAN, J.; LEVENSON, R. & WOODIN, E. (2001). "Facial Expressions During Marital Conflict". *Journal of Family Communication*. 1 [Estados Unidos].

GUERRERO, L.K.; DEVITO, J.A. & HECHT, M.L. (orgs.) (1999). *The nonverbal communication reader*: Classic and contemporary readings. Illinois: Waveland Press.

HARLING, I. & NYRUP, M. (2004). *Equilibrium* [Dinamarca]: Spellbound Publishing.

HOGAN, K. (1999). "NLP Eye Accessing Cues: Uncovering the myth". *Journal of Hypnotism*, set. New Hampshire.

JACOBS, M. (2000). *Illusion*: A psychodynamic interpretation of thinking and belief. Londres: Whurr Publishers.

JAMES, W. (1950). *The Principles of Psychology*. Vols. 1 e 2. Nova York: Dover.

JOHNSON, R.C. (2004). *Lie-detector glasses offer peak at future of security* [Disponível em http://www.eetimes.com/story/ OEG20040116S0050].

JOSEPH & SEYMOUR, J. (1990). *Introducing NLP*. Londres: Mandala.

LEWIS, B. & PUCELIK, F. (1982). *The magic of NLP demystified*: A pragmatic guide to communication & change. Oregon: Metamorphous.

McGILL, O. (1947). *The Encyclopedia of genuine stage Hypnotism*. Hollywood: Newcastle.

MORRIS, D. (2002). *Peoplewatching*. Londres: Vintage.

______. (1994). *The human animal*, episódio 2. [Inglaterra]: BBC.

NIELSEN, G.G. & POLANSKY, J. (1977). *Pendulum Power*: A mystery you can see, a power you can feel. Vermont: Destiny Books.

OATLEY, K. & JENKINS, J.M. (orgs.) (1996). *Compreender emoções*. São Paulo: Instituto Piaget.

PACKARD, V. (1977). *The people shapers*. Massachusetts: Bantam Books.

PROUST, M. (1913). *In search of Lost Time, part I*: Swann's Way [Disponível em http://www.gutenberg.org/].

RAMACHANDRAN, V.S. & BLAKESLEE, S. (1999). *Phantoms in the brain*. Nova York: Quill.

RICHARDSON, J. (2000). *The Magic of Rapport*. Califórnia: Meta Publications.

ROSEN, S. (org.) (1982). *My voice will go with you*: The teaching tales of Milton H. Erickson. Nova York: W.W. Norton & Company.

SARGANT, W. (1957). *Battle for the mind*. Nova York: Doubleday.
SHAKESPEARE, W. (s.d.). *Othello* [Disponível em http://www.gutenberg.org/].
______. (s.d.). *Julius Caesar* [Disponível em http://www.gutenberg.org/].
STEELE, R.D. (1999). *Body Language secrets*: A guide during courtship and dating. [Estados Unidos]: Steel Balls Press.
WILSON, T.D. (2002). *Strangers to ourselves*: Discovering the adaptive unconscious. Massachusetts: Harvard University Press.
WINN, D. (1983). *The manipulated mind*. Londres: Octagon.
ZIMBARDO, P. & EBBESEN, E. (1970). *Influencing attitudes and changing behavior*. [Filipinas]: Addison-Wesle Publishing Company.
ZUKER, E. (2005). *Creating rapport*. Boston: Course Technology.

Este livro foi composto na tipografia Minion
Pro, em corpo 11/15, e impresso em
papel off-white na Gráfica Plena Print.